Aspectos legales sobre el delito fiscal, la investigación patrimonial y el blanqueo de capital: radioagrafía de las tramas y de la delincuencia organizada nacional y transnacional

José Manuel Ferro Veiga

Criminólogo e Investigador Privado
Universidad Europea Miguel de Cervantes
josemanuelferroveiga@yahoo.es

Aspectos legales sobre el delito fiscal, la investigación patrimonial y el blanqueo de capital: radiografía de las tramas y la delincuencia organizada nacional y transnacional

© José Manuel Ferro Veiga

ISBN: 978-84-9948-330-6
Depósito legal: A-173-2011

Edita: Editorial Club Universitario Telf.: 96 567 61 33
C/ Decano, n.º 4 – 03690 San Vicente (Alicante)
www.ecu.fm
e-mail: ecu@ecu.fm

Printed in Spain
Imprime: Imprenta Gamma Telf.: 965 67 19 87
C/ Cottolengo, n.º 25 – 03690 San Vicente (Alicante)
www.gamma.fm
gamma@gamma.fm

Índice

RESUMEN O *ABSTRACT*

Es innegable que las mafias o criminalidad organizada forman parte de nuestras vidas, pero ignoramos cuáles son sus tramas, su funcionamiento interno y externo, los métodos para el blanqueo de dinero negro y sobre todo las consecuencias para la sociedad y el buen ordenamiento jurídico-económico. Las actividades ilícitas que desarrollan van desde el tráfico ilícito de vehículos, de órganos, de personas, de obras de arte hasta la falsificación de tarjetas de crédito, entre otras.

Todo esto conlleva a otros tipos de delitos conexos, como: ilícitos fiscales, contables, blanqueo de capitales, revelación y descubrimiento de secretos, falsedad en documentos mercantiles, manipulación de mercado, concursos fraudulentos, etc. Para evitar la responsabilidad civil y penal utilizan empresas pantalla o interpuestas así como testaferros. Todas sus operaciones están supervisadas por abogados y asesores especializados en campos tan variados como: la seguridad corporativa, economía de opción e ingeniería financiera, etc.

La desaparición de la Unión Soviética y la apertura de sus esquemas económicos y sociales han puesto de manifiesto la existencia de unas estructuras criminales específicas de aquellas regiones, con actividades en sectores que gestionan de forma exclusiva y bajo unos formatos que no encuentran similitudes en ningún otro esquema delincuencial. Se trata de grandes estructuras, muy jerarquizadas y sometidas a la voluntad de sus dirigentes, que las gestionan de forma directa desde países alejados de los lugares de comisión de los delitos. Estas organizaciones, con actividades criminales en todos los sectores (prostitución, tráficos ilícitos, extorsión, delitos violentos, etc.), cuentan con unos complejos sistemas de blanqueo de capitales, que utilizan estructuras mercantiles y bancarias de todo el mundo, en las que es difícil identificar el punto en el que se inicia el camino de los fondos con origen ilegal.

Las operaciones se caracterizan por los movimientos internacionales de fondos, cuya aplicación principal es la inversión en bienes inmuebles de muy elevado valor, principalmente en zonas turísticas en las que residen los dirigentes de las organizaciones, y en las que existen complejos cuya finalidad es alojar a los miembros de la organización durante períodos de distinta duración. Alrededor de estas inversiones se desarrollan una multitud de empresas auxiliares, cuyo objeto es el suministro de bienes de consumo y la prestación de servicios de mantenimiento, al frente de las cuales también se sitúan personas de la misma nacionalidad e integradas en las mismas organizaciones.

En la medida en que los criminólogos contribuyen empíricamente a las resoluciones jurídico-criminales, necesariamente sirven a los grupos que imponen de forma legítima los intereses de una sociedad.

Korn (1971) caracterizó el rol del criminólogo mediante cinco tipos de comportamientos, el primero era Observador: describe las cosas como son o como él las encuentra.

Hay que tener en cuenta que, además, el investigador criminológico sólo está legitimado en su actividad a través de un comportamiento por la búsqueda de la verdad.

Yo, como Diplomado Superior en Criminología por la Universidad Europea Miguel de Cervantes y miembro activo de la Sociedad Española de Criminología y Ciencias Forenses (SECCIF), voy a desarrollar la labor primera del criminólogo: describir la realidad de las mafias organizadas y su conexión con el blanqueo de capitales y el delito fiscal utilizando la persona jurídica para sus fines.

SUMARIO DEL LIBRO

Por razones obvias de espacio, en este trabajo editorial analizaré aspectos relacionados directa o indirectamente con las mafias, como:

- Ilícitos fiscales: Regulación, Penalidad y Regularización.
- Blanqueo de capital: sector inmobiliario y juegos de azar.
- Nuevas Tramas fiscales.
- Incumplimiento de las Obligaciones Formales de los Contribuyentes.
- Cooperadores necesarios.
- Inmunidad de los aforados.
- Identificación y detención: operativa.
- Pruebas: licitud o ilicitud.
- Crimen organizado: mafias.
- FBI.
- Investigación Patrimonial.
- Papel de la criminología en la prevención del delito.
- Paraísos fiscales: su atractivo.

Capítulo 1

Introducción

Sutherland, en 1961, en su libro *White Collar Crime*, definió el delito de cuello blanco como el delito perpetrado por una persona respetable y de alto estatus social en el ejercicio de su profesión. Por lo tanto, son delitos de «cuello blanco» los cometidos por Julián Muñoz o de la Rosa. Con frecuencia, se tiende a identificar plenamente el concepto de «delito económico» con «delito de cuello blanco», sin embargo, desde un punto de vista técnico, no ha de confundirse la delincuencia económica con la de «cuello blanco», mucho más restringida. Por ejemplo: el delito contable o informático son delitos económicos, pero no de cuello blanco, ya que estos delitos no requieren para ser tales ser cometidos por personas de alto estatus. Sin embargo, sí son delitos de «cuello blanco» los cometidos por Julián Muñoz, Roldán o de la Rosa.

La delincuencia económico-mercantil es la subespecie de la delincuencia general o "convencional" más importante que existe hoy en día.

Este tipo de delincuencia tiene las siguientes características:

❑ La compleja trama y estructura, tanto en el aspecto organizativo como en el operacional.

❑ Son muchas las instituciones, organismos y personas jurídicas cuyas competencias se entrecruzan. La normativa legal, muchas veces, es compleja, fragmentaria y a menudo importante para controlar un tráfico internacional.

❑ Su universo es el mundo mercantil y financiero, siempre con operaciones económicas, más o menos complejas.

En el ámbito tributario, el abogado y asesor fiscal no tienen consideración de sujetos infractores ni como autores ni como «cómplices» o «inductores» (diferentes figuras de autoría en el ámbito penal), ya que la posible implicación de una persona en las infracciones tributarias cometidas por otra (sujeto infractor) se configura en torno a la figura de los «responsables tributarios» a los que tras el oportuno procedimiento de derivación de la responsabilidad, se les puede exigir toda o parte de la deuda tributaria.

En el párrafo anterior podría ser de aplicación lo dispuesto en el artículo 42.1 a) de la Ley 58/2003 General Tributaria, a tenor del cual:

«1. Serán responsables solidarios de la deuda tributaria las siguientes personas o entidades:

»a) Las que sean causantes o colaboren activamente en la realización de una infracción tributaria. Su responsabilidad también se extenderá a la sanción».

Es de resaltar que la cobranza de las multas impuestas como consecuencia de los delitos contra la Hacienda Pública se efectuará mediante el procedimiento de recaudación en vía ejecutiva (Procedimiento de apremio Cif. RGR y LGT).

En los delitos contra la Hacienda Pública, dado que el bien jurídico protegido son los derechos de la economía pública, el sujeto pasivo será la entidad pública directamente perjudicada por la lesión patrimonial. Así:

A. La Hacienda Pública; estatal, autonómica, foral o local.
B. La Comunidad Europea.
C. Las Administraciones Públicas.
D. Etc.

En el Anteproyecto de Ley de prevención del Blanqueo de capitales aparece como finalidad primordial de esta iniciativa legislativa la actualización y mejora de la vigente regulación en materia de prevención del blanqueo de capitales, que se llevará a cabo sustituyendo la vigente Ley 19/1993 de 28 de diciembre. Regulará la identificación formal de sus clientes (art. 3), identificación del titular real (art. 4), obtención de información sobre el propósito e índole de la relación de negocios (art. 5) a fin de garantizar que las transacciones efectuadas coincidan con el conocimiento que tengan del cliente y de su perfil empresarial y de negocio (MJ).

Como manifestaciones propias de las obligaciones de información se encuentran la comunicación al Servicio Ejecutivo de la SEPBLAC de indicios o certeza de hechos u operaciones relacionadas con el Blanqueo de Capitales (art. 18).

Capítulo 2

Consideraciones especiales

Se denomina fraude fiscal a la minoración de ingresos que sufre la Hacienda Pública producida por la ocultación de Rentas o Patrimonios por parte de los contribuyentes.

La comisión de estos delitos se localiza predominantemente en el desempeño de una actividad empresarial y al amparo de la propia mecánica de los impuestos, como claramente lo demuestra el hecho de que, de los procesos iniciados por delito fiscal, entre el 50% y el 55% correspondan al IVA y en este impuesto se concentren las principales tramas organizadas de defraudación.

La defraudación ha de efectuarse a través, necesariamente, de las siguientes vías o modalidades: A) Elusión del pago. B) Obtención indebida de devoluciones fiscales y disfrute indebido de beneficios fiscales.

Los anglosajones distinguen conceptualmente tres categorías distintas, que son de plena aplicación a nuestro sistema legal, la primera es la *Tax Evasion* (evasión fiscal) que constituye ilícito penal, delito penado con penas privativas de libertad; la segunda categoría es la *Tax Avoidance*, que no es más que un ilícito civil, que cuando carece de entidad suficiente no tiene consecuencias penales; y, por último, la conocida como *Tax Mitigation*, que consiste en adoptar, dentro de la más estricta legalidad, aquella opción que nos es más favorable fiscalmente.

La «economía de opción» es equiparable al concepto de ingeniería financiera, y utilizado en operaciones de alto alcance defraudatorio. Según el Instituto de Estudios Fiscales, el índice general de fraude del IVA oscila entre el 28% y el 35%, y en la modalidad de declaraciones/liquidaciones periódicas del IVA, dicho índice se incrementa hasta un 39%.

Tienen la consideración de ganancias patrimoniales no justificadas los bienes y derechos cuya tenencia, **declaración o adquisición no se corresponde con la renta o el patrimonio declarados por el obligado tributario. Bajo esta última concepción, la ley del IRPF contiene dos** presunciones legales que admiten prueba en contrario. La primera es que los elemento patrimoniales cuya financiación no está justificada con la renta declarada por el sujeto pasivo constituyen una renta gravable que se ha ocultado a la Administración Tributraria y, la segunda, que esa renta se imputa al período impositivo en el que ha sido descubierta.

El sector inmobiliario es una de las mayores fuentes de fraude fiscal. El 80% de los compradores de pisos sólo declara a AEAT el 20% de la cantidad realmente satisfecha.

El Servicio Ejecutivo de la Comisión de Prevención del Blanqueo de Capitales e Infracciones Monetarias (Sepblac) ha señalado en diversos informes el papel que caracteriza el sector inmobiliario en las tipologías de blanqueo de capitales, caracterizado por su presencia generalizada en gran número de países y territorios, en muchos de los cuales alcanza la categoría de motor económico. Las notas que caracterizan este sector en su relación con el blanqueo de capitales son las siguientes: a) Es un sector tradicionalmente ligado a actividades de generación y ocultación de capitales de origen fiscalmente ilícito. b) La titularidad de bienes inmuebles admite muchas figuras jurídicas distintas, tanto de carácter nacional como internacional, e incluidas las formas de copropiedad temporal o espacial. c) La valoración de los bienes inmuebles tiene un marcado carácter subjetivo, ligado a aspectos no derivados directamente del propio bien. d) Es un sector muy sensible a comportamientos criminales relacionados con la corrupción.

Significativa es la presencia de los asesores que recomiendan y constituyen la ingeniería jurídica mercantil de este tipo de tramas, que responden como cómplices o cooperadores necesarios.

Dentro de la organización central de la AEAT se creó la Unidad de colaboración policial contra el fraude fiscal, para colaborar con los servicios correspondientes de la Agencia en la Investigación y persecución del fraude fiscal, que depende orgánicamente del Ministerio del Interior.

Las funciones de la Unidad se desempeñan de acuerdo con las directrices de la Agencia y encuadrados en sus planes de trabajo, sin perjuicio de las competencias y caracteres propios de la policía Judicial. En dicho desempeño, los funcionarios de la Unidad tendrán acceso a la información con transcendencia tributaria de los contribuyentes cuya investigación se le encomienda y a los datos, informes o antecedentes obtenidos por la AEAT referentes a los mismos, con los mismas obligaciones de secreto y sigilo previstas en el Apto. Cuatro. 8 para el personal de la Agencia.

Además, existe la Oficina Nacional de Investigación del Fraude, con competencia en todo el territorio nacional de acuerdo con la resolución de la AEAT de 24 de marzo de 1992.

Sus funciones son, entre otras: a) Estudio del fraude fiscal y la adopción de iniciativas para la formulación de estrategias generales para la lucha contra el mismo. b) Estudio de los procedimientos de lucha contra el fraude utilizados por otras Administraciones Públicas de la Unión Europea. c) Etc.

Todas las comparaciones son odiosas, pero es de reseñar que una de las misiones del FBI es la de combatir el crimen de cuello blanco, fraudes financieros y combatir organizaciones y empresas de carácter criminal nacionales y transnacionales. Desde su fundación el día 26 de julio de 1908 con la aprobación del Congreso de la Nación e integrado por 9 detectives, 13 investigadores y 12 contables; en la actualidad, cuenta con 20.000 efectivos, lo que estaba dando lugar al nacimiento de una Institución de dimensiones casi incuantificables, por sus medios, por su trabajo y, también, por una enorme proyección mundial contra el crimen en todas sus manifestaciones (Alvin Karpis, John Dilinger o Al Capone, esclavitud sexual así como fraude de las leyes de comercio *antitrust*) así como la fabricación, distribución y consumo de alcohol en la vigencia del Acta Volstead.

El FBI también tiene un marcado carácter criminológico, en efecto, posee unas ingentes bases de datos con estadísticas así como el estudio de los factores sociológicos y de personalidad que precipitan la aparición y desarrollo de fenómenos delincuenciales específicos como las bandas organizadas, manifiestan bien a las claras la vocación práctica de la ciencia criminológica aplicada y su marco teórico.

La posible solución de este tipo de delincuencia organizada radica en una adecuada educación desde años primeros de la infancia, pues como decía Charles Darwin: "Inculca una enseñanza a la edad donde el cerebro es más sensible y con el tiempo crearás un hábito"; así, la prevención de conductas antisociales puede partir de la educación que se imparta en las escuelas y que esta se vea reforzada en familia. Es más adecuada la prevención que el castigo, pues un reo diariamente cuesta de 3 a 9 euros diarios (www.xe.com), son cifras millonarias que la sociedad sustenta con sus impuestos.

El Síndrome de prisionización, que fue descubierto por Clemmer en 1940, señalaba que la cárcel le ocasiona a una persona presa, entre otros síntomas, los siguientes: pérdida de la autoestima, devaluación de la propia imagen, aumento del nivel de ansiedad, aparición de nuevos trastornos de personalidad (trastorno adaptativo o por dependencia), resentimiento contra la sociedad, considera que la sociedad es la culpable de sus problemas. Si a las anteriores circunstancias le añadimos el ambiente de violencia de las cárceles y la restricción de los permisos de salida, obtenemos como resultado que, en su día, se pondrá en libertad a un auténtico motor de explosión, con una serie de carencias y un estado de tensión acumulado durante todo el tiempo de cumplimiento de condena al que tendrá que dar salida, y lo hará de la mejor manera que sabe hacer, que es delinquiendo, si cabe, con más virulencia.

La futura reforma del Código Penal Español establece una lucha contra la delincuencia organizada y su proyección internacional.

En este ámbito se establece una tipificación específica de la "Asociación" para delinquir. El castigo por pertenecer a esta asociación delictiva se añade a la pena específica que corresponda por el delito concreto cometido. También se introduce la medida del "Comiso ampliado". Esto permitirá la presunción legal de que el patrimonio del condenado proviene del mundo del delito siempre que su valor resulte desproporcionado en relación con sus ingresos legales, por esta razón podrán ser decomisados.

Se amplían los plazos de prescripción en los delitos contra la Hacienda Pública y la Seguridad Social a diez años. Este nuevo plazo favorecerá su descubrimiento y persecución en casos como la corrupción que, a menudo, se detecta tras períodos de tiempo bastante prolongado.

Con el fin de incrementar la lucha contra las organizaciones criminales, se introduce un nuevo delito relacionado con la creación o mantenimiento de sociedades falsas, o tapaderas.

El expediente administrativo (recuerde que las actas y las diligencias que se extienden con la inspección de los tributos son documentos públicos y con presunción *iuris tantum*. Cif. Arts. 99.7 y 144.1 LGT) que la AEAT remite al Ministerio Fiscal o al órgano judicial correspondiente cuando aprecia la existencia de indicios de delito fiscal tiene, en cuanto a su valoración como medio de prueba legal, libre apreciación por el Juez, sujeta a ratificación y a contradicción, pasando a formar parte del conjunto de las pruebas documentales y periciales practicadas en el acto del Juicio Oral que han de ser valoradas por el Juez.

Los funcionarios de la AEAT pueden intervenir en el proceso en calidad de testigo, testigo-perito o perito. En este sentido, debe indicarse que en el seno de la Agencia Tributaria funcionan, desde 1998, las unidades especiales de auxilio judicial cuya creación respondió a la necesidad de dotar de la mayor eficacia y racionalidad posible el desarrollo de las tareas derivadas de las peticiones de informes y dictámenes periciales cursadas por los órganos jurisdiccionales en materia principalmente de delito fiscal.

La nueva LEC, en su art. 348, se limita a prescribir que el Tribunal valorará los dictámenes periciales según las reglas de la sana crítica.

Las reglas de la sana crítica sólo suponen para el tribunal un «Estándar Jurídico»: SSTS 13.02.1990 y 15.07.1988.

La distinción entre el sistema de la sana crítica y los de prueba libre es clara. En el sistema de prueba legal, el legislador viene a decirle al Juez: "Tú aprecias la prueba según criterios legales reglados". En el de la libre convicción le dice: "Tú aprecias la prueba, como te parezca oportuno, ateniéndote a la prueba, sin atenerte o aun en contra". Pero, en el sistema de valoración según la sana crítica, luego de haberle dado facultades para completar el material probatorio suministrado por las partes, le dice: "Tú aprecias la prueba como tu inteligencia te lo indique, razonando de acuerdo con la experiencia y la ciencia que puedan darte los peritos".

En las reglas de la sana crítica, en cuanto reglas del rector razonamiento, cabe hallar los siguientes elementos: en primer lugar, las reglas de la sana crítica son reglas, esto es, principios, axiomas, máximas, directrices, razones que deben servir de medidas a las que ajustar al razonamiento; después, son de sana crítica, lo que debe entenderse como exhortación al tribunal al razonamiento lógico, que comporta que el encadenamiento de juicios que se realicen sean los que cabe justificar de acuerdo con sus antecedentes; y por último, son experiencia, o utilización de las llamadas máximas de experiencias comunes.

Así, nuestra jurisprudencia entiende que, en la valoración de la prueba por medio de dictamen de peritos, se vulneran las reglas de la sana crítica en las siguientes Sentencias: SSTS 17.06.1996, 08.02.1989, 20.05.1996, 13.03.1995 y 07.01.1991.

La sana crítica es la unión de la lógica y de la experiencia, sin excesivas abstracciones de orden intelectual, pero también sin olvidar preceptos de higiene mental, tendentes a asegurar el más certero y eficaz razonamiento. De mención son las SSTS 11.04.1998, 09.03.1990, 13.07.1995 y 28.04.1993, en que los razonamientos del Tribunal en torno a los dictámenes atentan contra la lógica, la racionalidad o son arbitrarios-contradictorios. Así cuando los razonamientos del Tribunal en torno a los dictámenes lleven al absurdo (SSTS 15.07.1998, 17.02.1986 y 17.02.1986).

La normativa aplicable en el procedimiento o actuaciones en supuestos del delito fiscal previsto en el artículo 305 CP, por la Administración Tributaria, a saber:

A. Ley 58/2003 General Tributaria.
B. Real Decreto 2063/2004 de 15 de octubre, por el que se aprueba el Reglamento General del Régimen Sancionador Tributario.
C. Ley 36/2006.
D. Instrucción 1/1999 de 16 de julio, del Director del Departamento de Inspección Financiera y Tributaria.
E. Ley 1/1998 de Derechos y Garantías de los Contribuyentes.
F. Real Decreto 939/2005 de 29 de julio, por el que se aprueba el Reglamento General de Recaudación.
G. Ley 21/2001 de 27 de diciembre, por la que se regulan las medidas fiscales y administrativas del nuevo sistema de financiación de las comunidades autónomas de régimen común y ciudades con Estatuto de autonomía.

Capítulo 3

Las obligaciones formales de los contribuyentes: libros y registros contables

La obligación principal de todos los sujetos pasivos es el pago de la deuda tributaria, pero además existen obligaciones accesorias, como es el deber de llevar libros de contabilidad, registros y otros documentos que se establezcan en las normas de cada tributo.

El Nuevo Plan General de Contabilidad fue aprobado por el Real Decreto 1514/2007 de 16 de noviembre y lo ha hecho acompañado por el PGC para pequeñas y medianas empresas, aprobado por el Real Decreto 1515/2007 de 16 de noviembre. Ambas normas entran en vigor el día 1 de enero de 2008, y son el desarrollo reglamentario de la Ley 16/2007 de 4 de julio, de Reforma Contable.

Con la Orden JUS/206/2009 de 28 de enero (BOE de 10 de febrero) se aprobaron los Nuevos Modelos de Cuentas Anuales y en actividades en concreto.

Algunas empresas, dependiendo de la actividad que desarrollen, deben llevar un modelo especial de contabilidad, como ocurre con las entidades gestoras de fondos de pensiones, cuya documentación contable viene regulada por Orden EHHA/251/2009 de 6 de febrero (BOE del 16). También las entidades aseguradoras (Real Decreto 1371/2008 de 24 de julio sobre el Plan de Contabilidad de empresas Aseguradoras comprendidas en el Título II del Texto Refundido de la Ley de Ordenación y Supervisión de los Seguros Privados, aprobado por el Real Decreto Legislativo 6/2004), así como las instituciones de Inversión Colectiva, las entidades de capital riesgo y, por último, las empresas dedicadas a la inversión inmobiliaria (Circular 2/2008 de 26 de marzo), entre otras, están sujetas a una llevanza de contabilidad especial.

Las empresas mercantiles, tanto las individuales como las organizaciones mediante la forma de sociedad, están obligadas por las leyes mercantiles a reflejar toda la actividad de la empresa en una serie de libros.

Las anotaciones reflejadas en estos libros deben tener un soporte documental en las denominadas facturas (véase Orden EHA/962/2007 de 10 de abril, sobre facturación telemática) cuya normativa reguladora se encuentra contenida en el Real Decreto 1496/2003, de 28 de noviembre o en los documentos equivalentes:

1. Impuesto sobre la Renta de las Personas Físicas.

En el artículo 68 del Real Decreto 439/2007 se regulan las obligaciones contables y registrales de los sujetos pasivos del Impuesto sobre la Renta de las Personas Físicas.

a)   Personas físicas o entidades en régimen de atribución de rentas que realicen una actividad empresarial de carácter mercantil y que determinen sus rentas por el régimen de estimación directa normal:
Están obligados a llevar la contabilidad de acuerdo con el Código de Comercio:
- Libro de inventarios y Cuentas Anuales.

Las cuentas anuales se componen de los siguientes elementos que forman una unidad:

- ✓ Balance.
- ✓ Cuentas de pérdidas y ganancias.
- ✓ Estado de cambios en el patrimonio neto (ECPN).
- ✓ Estado de flujos de efectivo.
- ✓ Memoria.

(El Estado de flujo de efectivo no es obligatorio para las empresas que puedan formular Balance, ECPN y Memoria abreviados. Tampoco es obligatorio para las empresas acogidas al Plan de PYMES).

- Libro Diario.

b)   Personas físicas o entidades en régimen de atribución de rentas que desarrollen una actividad empresarial cuyo rendimiento se determine por el régimen de estimación directa en la modalidad simplificada:

- Libro registro de ventas e ingresos.
- Libro registro de compras y gastos.
- Libro registro de bienes de inversión.

c) Persona física o entidades en régimen de atribución de rentas que desarrollen una actividad profesional y que determinen su rendimiento en régimen de estimación directa en cualquiera de sus modalidades:

- Libro registro de ingresos.
- Libros registro de gastos.
- Libro registro de bienes de inversión.
- Libro registro de provisiones de fondos y suplidos.

Los libros exigidos por el Código de Comercio deben legalizarse en el Registro Mercantil de su domicilio fiscal antes de ser utilizados. Estos contribuyentes no estarán obligados a llevar los libros registros.

d) Personas físicas o entidades en régimen de atribución de rentas que desarrollen una actividad empresarial o profesional y que determinen sus rendimientos por el régimen de estimación objetiva:

- Conservar las facturas emitidas por orden de fechas y agrupadas por trimestres, y las facturas o justificantes documentales de otro tipo recibidos.
- Conservar los justificantes de los módulos aplicados.
- Libro de bienes de inversión para las amortizaciones, en el caso de que deduzcan amortizaciones.
- Libro de ventas e ingresos para quienes realicen actividades cuyo rendimiento neto dependa del volumen de operaciones (agricultura, ganaderos y forestales).

Los libros registro de bienes de inventarios se llevarán separando cada elemento del inmovilizado y haciendo contar:

- Descripción de bien.
- El valor de adquisición.
- Cuotas de amortización que corresponden.

2. Impuesto sobre Sociedades.

Según se establece en el artículo 133 del Texto Refundido de la Ley del Impuesto sobre Sociedades, los sujetos pasivos del Impuesto sobre Sociedades deberán llevar la contabilidad de acuerdo con el Código de Comercio.

Además, deberán aplicar de forma obligatoria lo previsto en el Plan General de Contabilidad.

Son libros obligatorios de acuerdo con el artículo 25 del Código de Comercio:

a) Libro de Inventarios de Cuentas Anuales.

b) Libro Diario.

De otra parte, se establece también la obligación de llevar ciertos libros, denominados libros societarios, tales como:

- Libro de actas.
- Libro de acciones nominativas, sólo para las sociedades anónimas y comanditarias por acciones.
- Libro registro de socios, sólo para las sociedades de responsabilidad limitada.

Además de estos libros, se pueden llevar de forma voluntaria los libros y registros que estimen oportunos, como es el libro mayor.

Los libros obligatorios exigidos por el Código de Comercio deben legalizarse antes de ser utilizados en el Registro Mercantil de su domicilio fiscal:

- En el primer folio introduce una diligencia en la que se dice el número de folios del Libro.
- En todas las hojas se pone el sello del registro.

Alternativamente, cabe que, si se utilizan hojas sueltas, estas se encuadernen, legalizando los libros resultantes antes de que transcurran cuatro meses desde la fecha de cierre del ejercicio.

3. Impuesto sobre el Valor Añadido.

A. Todos los empresarios y profesionales sujetos al régimen general del Impuesto sobre el Valor Añadido (IVA) deberán llevar:

a) Libro registro de facturas expedidas.

b) Libro registro de facturas recibidas.

c) Libro registro de bienes de inversión.

d) Libro registro de determinadas operaciones intracomunitarias.

B. Los sujetos pasivos acogidos al régimen simplificado del IVA deberán llevar:

a) Libro registro de facturas recibidas.
b) Los sujetos pasivos acogidos al régimen simplificado por las actividades cuyos índices o módulos operen sobre el volumen de ingresos realizado habrán de llevar asimismo un libro registro en el que anotarán las operaciones efectuadas en desarrollo de las referidas actividades.
c) Conservar los justificantes de los índices o módulos aplicados.
d) Conservar numeradas por orden de fechas las facturas recibidas.
e) Conservar las facturas de operaciones excluidas del régimen (importaciones, adquisiciones intracomunitarias de bienes, operaciones de bienes, operaciones con activos fijos, etc.).

C. Los sujetos pasivos en el régimen especial de la agricultura, ganadería y pesca deben llevar un libro registro en el que se contengan las operaciones acogidas a este régimen.

D. Los sujetos en el régimen especial de bienes usados deberán cumplir las siguientes obligaciones:

Además de las establecidas con carácter general, deberán cumplir, respecto de las operaciones afectadas por el referido régimen especial, las siguientes obligaciones específicas:

a) Llevar un libro registro específico en el que se anotarán, de manera individualizada y con la debida separación, cada una de las adquisiciones, importaciones y entregas, realizadas por el sujeto pasivo, a las que resulte aplicable la determinación de la base imponible mediante el margen de beneficio de cada operación.
b) Llevar un libro registro específico, distinto del indicado en el párrafo a) anterior, en el que se anotarán las adquisiciones, importaciones y entregas, realizadas por el sujeto pasivo durante cada período de liquidación, a las que resulte aplicable la determinación de la base imponible mediante el margen de beneficio global.
c) En los supuestos de iniciación o cese, los sujetos pasivos deberán confeccionar inventarios de sus existencias, respecto de las cuales resulte aplicable la modalidad del margen de beneficio global para determinar la base imponible, con referencia al día inmediatamente anterior al de la iniciación o cese en la aplicación de aquella.

d) Expedir una factura de compra por las adquisiciones realizadas a personas físicas no empresarios o profesionales.

E. Para los sujetos pasivos en el régimen de las Agencias de viaje es obligatorio un libro de facturas recibidas, separando las adquisiciones que se hagan directamente a favor del viajero. Además, deben llevar un libro de facturas emitidas y otro de bienes de inversión.

F. Los sujetos en recargo de equivalencia no están obligados a llevar los registros del IVA.

El incumplimiento de las obligaciones formales de llevanza de libros fiscales y mercantiles puede acarrear al empresario individual o sociedad, además de las responsabilidades civiles y mercantiles, graves consecuencias fiscales y penales, a saber:

o   Faculta a la Administración a determinar la base imponible por el método de la Estimación Indirecta.

o   Permite interpretar que ha existido negligencia para graduación (infracciones graves y muy graves, y no para las infracciones leves) superior de la sanción.

o   Da base para interpretar la existencia de infracción simple (véanse arts. 184.2 y 3 L.G.T. y 10,11 y 12 RRST).

o   Es un requisito imprescindible para fallar la comisión de los siguientes delitos:

❖ Fiscal (arts. 305 y ss. CP).
❖ Contable (art. 310 CP).
❖ Estafa (arts. 248 y ss. CP).
❖ Falseamiento de documento mercantil (art. 290 CP). El artículo 290 del Vigente Código Penal castiga con la pena de prisión de 1 a 3 años y multa de 6 a 12 meses «a los Administradores, de hecho o de derecho, de una Sociedad constituida o en formación, que falsearen las Cuentas Anuales u otros documentos que deban reflejar la situación jurídica o económica de la entidad, de forma idónea para causar un perjuicio económico a la misma, se aplicarán estas penas en su mitad superior».
❖ Administración Desleal.
❖ Etc.

La información que se difunde al exterior con los estados contables es útil para los distintos agentes económicos e Instituciones públicas, así como para trabajadores y empresarios; de modo que unos aumenten sus posibilidades de acumulación de recursos y otros controlen y persigan las faltas, delitos o infracciones administrativas cometidos por los mismos.

Entre ellos se podría señalar:

✓ La Administración Pública pueda recaudar más dinero y perseguir el fraude.
✓ A los acreedores para afianzar en sus cobros.
✓ A los trabajadores para negociar mejoras en sus retribuciones.
✓ Entidades financieras para garantizar sus inversiones.

A excepción de las cuentas anuales (Balance, Cuentas de Pérdidas y Ganancias, Estado de Cambios en el Patrimonio Neto, Estado de flujos de efectivo y la Memoria), los registros contables son confidenciales o secretos, salvo en ciertos casos previstos legalmente o cuando el empresario lo considere oportuno (artículo 32 del Código de Comercio).

El NIF es la base de identificación fiscal en las relaciones tributarias de las personas físicas y jurídicas y de las entidades sin personalidad jurídica a que se refiere el artículo 35 de la Ley 58/2003 de 17 de diciembre General Tributaria (LGT). Su regulación se encuentra en la disposición adicional sexta de la LGT y en los artículos 18 a 28 del Real Decreto 1065/2007.

Mediante la Orden Ministerial EHHA/451/2008, de 20 de febrero (BOE 26 de febrero de 2008), que entró en vigor el 1 de julio de 2008, se ha regulado la composición del NIF de las personas jurídicas y entidades sin personalidad jurídica.

La obtención del NIF puede realizarse a solicitud del interesado, que la solicitará a la Administración mediante el siguiente procedimiento:

• Modelos: declaración censal 036, podrá presentarse en impreso o por vía telemática a través de Internet; o declaración censal 037, que podrá presentarse en impreso o por vía telemática a través de Internet (la gestión censal aparece regulada en la disposición adicional quinta de la ley 58/2003 de 17 de diciembre, General Tributaria en los artículos 2.º a 16 del Real Decreto

1065/2007, y en la Orden EHA/1274 de 26 de abril, modificada por la Orden EHA/3695/2007 de 13 de diciembre).

Y de oficio por la Administración Tributaria.

Es necesario utilizar el NIF en los siguientes casos:

1. En las declaraciones, comunicaciones o escritos presentados a la Administración Tributaria.
2. En las facturas y documentos que se expidan o reciban en las operaciones entre empresarios y profesionales.
3. En cualquier otra relación con trascendencia tributaria y en concreto.

a) Quienes paguen o reciban rentas del trabajo personal dependiente o del capital mobiliario.
b) Quienes adquieran o transmitan valores representados por títulos.
c) En escrituras y documentos que contengan la constitución, adquisición, transmisión o extinción de derechos reales sobre bienes inmuebles.
d) Quienes realicen operaciones con Entidades de Crédito en España.
e) Quienes realicen operaciones de seguro o financieras con Entidades aseguradoras.
f) Quienes realicen aportaciones a Planes de Pensiones o reciban percepciones de las mismas.

La utilización del NIF se regula en los artículos 26 y 27 del Real Decreto 1065/2007:

«Los sujetos pasivos u obligados tributarios deberán consignar el NIF de otras personas o entidades, con quienes establezcan relaciones económicas o profesionales, en declaraciones, comunicaciones o documentos con trascendencia fiscal».

Frente a la amplia concepción jurisprudencial del documento mercantil, la posición doctrinal mayoritaria es la de reducir la noción de documento mercantil a aquellos contemplados explícitamente en la legislación mercantil, e incluso algunos autores llegaron a exigir, además, que aquellos disfruten de una eficacia jurídica superior a la de los documentos privados, ya que sólo así se justificaría su agravación penal.

Han afirmado que los documentos mercantiles no responden al concepto de documento público, sino que se situarían principalmente dentro del ámbito de los documentos privados. Sin embargo, a efectos penales, el Nuevo Código Penal equipara estos documentos mercantiles con los documentos públicos, y ello puede explicarse principalmente, según un importante sector doctrinal, por su repercusión en un mayor número de personas, así como su trascendencia en el tráfico jurídico. Tras la publicación del Código Penal de 1848, la doctrina ha intentado elaborar un concepto de documento mercantil y, de este modo, han ido dibujando diversas definiciones caracterizadas por su posición restrictiva.

Así, PACHECO afirmaba que «documento de comercio son las letras, los pagarés adornados de los requisitos legales, las pólizas y cualquier otro escrito que esté formado con arreglo al Código mercantil, y tenga, según él, validación y efecto»; y ANTÓN ONECA, sin recurrir a una sistemática ejemplificativa, mantenía que son «documentos mercantiles los que, con arreglo al Código de Comercio, tienen por objeto hacer constar derechos concretos u obligaciones definidas de tal clase, o sirven por mérito jurídico para demostrar unos y otros». Más recientemente, QUINTANO RIPOLLÉS excluye los documentos que pasen como mercantiles entre los comerciantes, sin serlo conforme a las leyes de ese orden y sin hacer constar derechos definidos en ellas.

CÓRDOBA RODA requiere la presencia de dos principios: uno de índole formal, por virtud del cual sólo ostentan tal condición aquellos documentos que, aparte de expresar un derecho o un acto de naturaleza mercantil, según el cual se circunscribe el ámbito de dichos documentos a aquellos escritos que, aparte de caer dentro de la esfera del expuesto criterio formal, ostenten una eficacia jurídica sensiblemente superior a la de los documentos privados.

Capítulo 4

La prueba en los procedimientos tributarios: medios de prueba y valor probatorio de documentos públicos y privados

Retomando el principio general en nuestro Derecho del carácter no tasado de los medios de prueba, el artículo 299 de la LEC contiene la siguiente enumeración de los posibles medios de prueba:

«1. Los medios de prueba de que se podrá hacer uso en juicio son:

1. Interrogatorios de las partes.
2. Documentos públicos.
3. Documentos privados.
4. Dictamen de peritos.
5. Reconocimiento judicial.
6. Interrogatorio de testigos.

»2. También se admitirán, conforme a lo dispuesto en esta ley, los medios de reproducción de la palabra, el sonido y la imagen, así como los instrumentos que permiten archivar y conocer o reproducir la palabra, datos, cifras y operaciones matemáticas llevadas a cabo con fines contables o de otra clase, relevantes para el proceso.

»3. Cuando por cualquier otro medio no expresamente previsto en los apartados anteriores de este artículo pudiera obtenerse certeza sobre hechos relevantes, el Tribunal, a instancia de parte, lo admitirá como prueba, adoptando las medidas que en cada caso resulten necesarias».

El Tribunal Supremo, en su Sentencia de 12 de junio de 1992, ofrece una definición de documento mercantil a efectos penales que afirma que «Son documentos mercantiles a efectos penales los documentos que acrediten, manifiestan y proyectan todas aquellas operaciones o actividades que se produce en el círculo o ámbito propio de una empresa, sociedad o entidad mercantil, cualquiera que sea esta, lo que ha de hacerse extensivo a todas las incidencias que sean consecuencias de tales actividades y en el mismo ambiente. En conclusión, el documento mercantil surgirá al mundo jurídico desde el momento en que, por el mismo se compruebe un acto inherente al tráfico mercantil, formalizando o demostrando, en suma, cualquier derecho de tal naturaleza».

De este modo, el Tribunal Supremo ha dado entrada en el Concepto de Documento Mercantil a todos los que consignen un acto o derecho de naturaleza mercantil (STS 27.03.1990 y STS 13.03.1999).

De este modo, para la Jurisprudencia, por Documento Mercantil se entiende todos aquellos que expresen una operación de comercio, o que sirvan para demostrar derechos de naturaleza mercantil, es decir, no sólo expresamente regulados como tales en el Código de Comercio o en las Leyes Mercantiles, sino también todos aquellos que recojan una operación de Comercio o tengan validez o eficacia para hacer constar derechos u obligaciones de tal carácter, o sirvan para demostrarlos.

De acuerdo con el artículo 324 de la LEC, son Documentos Privados «aquellos que no se hallen en ninguno de los casos del artículo 317 (o sea Documentos Públicos)» de esta misma ley.

Entre los documentos privados podríamos citar como ejemplos los Contratos, las Facturas, los Libros de Contabilidad, los Libros-Registros, los Albaranes, los Recibís, etc.

En lo tocante a su valor probatorio, dos son los preceptos que merecen ser destacados: los artículos 1.227 y 1.230 del CC. Los mismos disponen que:

• Artículo 1.227. «La fecha de un documento privado no se contará respecto de terceros sino desde el día en que hubiese sido incorporado o inscrito en un registro público, desde la muerte de cualquiera de los que firmaron, o desde el día en que se entregase a un funcionario público por razón de su oficio».

• Artículo 1.230, señala que «Los Documentos Privados hechos para alterar lo pactado en escritura pública, no producen efectos contra terceros».

Resulta evidente la trascendencia que como medio de prueba tienen los libros de contabilidad en el ámbito tributario.

En este sentido, baste con destacar lo previsto en algunos preceptos como son los siguientes:

• Artículo 10.3 del Real Decreto Legislativo 4/2004 de 5 de marzo, por el que se aprueba el Texto Refundido de la Ley del IS: «En el régimen de estimación directa, la base imponible se calculará, corrigiendo, mediante la aplicación de los preceptos establecidos en la presente ley, el resultado contable determinado de acuerdo con las normas previstas en el CCo, en las demás leyes relativas a dicha determinación y en las disposiciones que se dicten en desarrollo de las citadas normas».

• Artículo 133 del Real Decreto Legislativo 4/2004 de 5 de marzo, por el que se aprueba el Texto Refundido De la Ley del IS: «Los sujetos pasivos de este impuesto deberán llevar su contabilidad de acuerdo con lo previsto en el CCo o con lo establecido en las normas por las que se rigen (...)».

• Artículo 28 de la Ley 35/2006 de 28 de noviembre, del IRPF: «1. El rendimiento neto de las actividades económicas se determinará según las normas del IS (...)».

• Artículo 31 del CCo: «El valor probatorio de los libros de los empresarios y demás documentos contables será apreciado por los Tribunales conforme a las reglas generales del Derecho».

• Artículo 1.228 del CC: «Los asientos, registros y papeles privados únicamente hacen prueba contra el que ha escrito en todo aquello que conste con claridad; pero el que quiera aprovecharse de ellos habrá de aceptarlos en la parte que le perjudiquen».

Destacar la especial referencia al valor probatorio de las fotocopias, la Administración Tributaria ha venido rechazando su admisibilidad como medio probatorio, siguiendo el criterio del Tribunal Supremo, el cual ha tenido ocasión de reiterar que las fotocopias no adveradas, ni cotejadas con sus originales, carecen de fuerza probatoria respecto a su contenido; declaración que resulta evidente, dada la facilidad mecánica de superponer, componiendo, un determinado texto y sus correspondientes firmas, fotocopiando después el resultado, sin que sea fácilmente apreciable el fraude.

En el Derecho Tributario, las presunciones consisten en considerar como cierto un hecho (desconocido) a partir de la fijación de otro distintos (este sí conocido).

Es ya clásica la distinción entre presunciones *iuris tantum* y presunciones *iuris et de iure*.

Las presunciones *iuris tantum* son aquellas que pueden destruirse mediante prueba en contrario que las desvirtúe. Por tanto, tales presunciones suponen una inversión de la carga de la prueba. En cambio, son presunciones *iuris et de iure* aquellas que por expresa decisión del legislador no admiten prueba en contra.

El artículo 108.1 de la LGT (L 58/2003) establece que, como regla general, las presunciones establecidas en el ámbito jurídico-tributario tienen el carácter de presunciones *iuris tantum*, cuando indica que: «Las presunciones establecidas por las normas tributarias pueden destruirse mediante prueba en contrario, excepto en los casos en que una norma con rango de ley expresamente lo prohíba».

Así, constituyen ejemplos en nuestro ordenamiento tributario de este tipo de presunciones los siguientes:

• La contemplada por la propia LGT (L. 58/2003) en el apartado 3 de este mismo artículo 108: la Administración Tributaria podrá considerar como titular de cualquier bien, derechos, empresas, servicios, actividad, explotación o función a quien figure como tal en un registro fiscal o en otros de carácter público, salvo prueba en contrario.

• La regulada, en relación con las declaraciones y demás documentos de los obligados tributarios, en el artículo 108.4 de la ley: «los datos y elementos de hecho consignados en las autoliquidaciones, declaraciones, comunicaciones y demás documentos presentados por los obligados tributarios se presumen ciertos para ellos y sólo podrán rectificarse por los mismos mediante prueba en contrario».

• La presunción de residencia habitual en territorio español para las personas físicas recogida en el artículo 9.1, último párrafo, de la Ley 35/2006 de 28 de noviembre, del IRPF.

• Las presunciones de onerosidad que establecen el artículo 6.5 de la ley 35/2006 de 28 de noviembre, del IRPF o el artículo 5 del Real Decreto Legislativo 4/2004 del Texto Refundido de la Ley del IS, según los cuales las cesiones de bienes y derechos se presumen retribuidas por su valor normal de mercado, salvo prueba en contrario.

Como ejemplo de presunción *iuris et de iure* establecida en una norma de carácter tributario, podemos señalar la regla relativa a operaciones vinculadas del artículo 16 del Real Decreto Legislativo 472004 del Texto Refundido de la Ley del IS.

En otro orden de cosas, y con referencia a la carga de la prueba en los procedimientos tributarios, de conformidad, este principio ha venido siendo interpretado por el Tribunal Supremo así en su Sentencia de 27 de enero de

1992, en el sentido de que «cada parte ha de probar el supuesto de hecho de la norma, cuyas consecuencias jurídicas invoca a su favor».

De conformidad con ello han sido reiterados los pronunciamientos judiciales (entre otras, SSTS 25.01.1995 y 01.10.1997) que sientan la doctrina de que, en el ámbito tributario, la prueba de la existencia de hecho imponible y su magnitud económica son carga de la Administración, mientras que al contribuyente le corresponde acreditar los hechos que le favorecen tales como exenciones, bonificaciones, deducciones de cuota, requisitos de deducibilidad de gastos, etc.

Al respecto, debe entenderse que los anteriores criterios obviamente han de conjugarse con los de normalidad y facilidad probatoria, «de manera que la carga de la prueba ha de atribuirse a aquella parte más próxima a las fuentes de prueba, y para la cual resulta de extremada sencillez la demostración de los hechos controvertidos», como así lo ha declarado la Sentencia de 14 de junio de 1989 de la Audiencia Territorial de Barcelona.

Y es que en el ámbito tributario rige además el principio de «interés» en la prueba, según el cual las consecuencias jurídicas desfavorables de la falta o insuficiencia de la prueba irán a cargo de la parte a la que favorecería la existencia de tal hecho y su demostración, salvo que legalmente se disponga lo contrario, mediante algún tipo de ficción o presunción.

Con suma frecuencia, los procesos penales por delitos contra la Hacienda Pública van a iniciarse tras detectarse la existencia de, al menos, indicios de los citados delitos en actuaciones administrativas, fundamentalmente en procedimientos inspectores dirigidos a la comprobación de la situación tributaria del contribuyente. En estos casos el procedimiento a seguir viene regulado en la Ley 58/2003 de 17 de diciembre, General Tributaria, en su artículo 180.1, que establece que: «Si la Administración Tributaria estimase que la infracción pudiera ser constitutiva de delito contra la Hacienda Pública, pasará el tanto de culpa a la jurisdicción competente o remitirá el expediente al Ministerio Fiscal, y se abstendrá de seguir el procedimiento administrativo que quedará suspendido mientras la autoridad judicial no dicte sentencia firme, tenga lugar el sobreseimiento o el archivo de las actuaciones o se produzca la devolución del expediente por el Ministerio Fiscal. La Sentencia condenatoria de la autoridad judicial impedirá la imposición de sanción administrativa. De no haberse apreciado la existencia de delito, la Administración Tributaria iniciará o continuará sus actuaciones de acuerdo con los hechos que los tribunales hubieran considerado probados, y se reanudará el cómputo del plazo de prescripción en el punto en el que estaba cuando se suspendió. Las actuaciones administrativas realizadas durante el período de suspensión se tendrán por inexistentes» (el Real Decreto 2063/2004, por el que se aprueba el Reglamento General de Régimen Sancionador Tributario, establece en los artículos 32 y 33 el procedimiento a seguir).

Capítulo 5

Iniciación del procedimiento penal: concepto de detención, delito in fraganti y figuras inmunes. ¿Cómo se detiene a un aforado que comete un delito fiscal o contable?

La detención es una figura jurídica que alberga múltiples supuestos fácticos que pueden justificar su adopción, por lo que me limitaré a proporcionar una panorámica de los aspectos fundamentales que inciden en la misma.

En primer lugar, conviene recordar que la libertad es uno de los valores superiores del ordenamiento jurídico, como proclama la Constitución en su artículo 1 y, posteriormente, en su artículo 17.

La regulación de un catálogo general de derechos y deberes de los ciudadanos es uno de los elementos que configuran, en esencia, la existencia de un régimen constitucional. En efecto, el Reconocimiento de la libertad del individuo, como núcleo de todos esos derechos fundamentales, es el soporte de un Estado que se precie de ser políticamente democrático.

Sin libertad y sin libre ejercicio de los derechos individuales y sociales, no puede haber verdadera democracia, y es este el motivo principal que ha llevado a la Constitución Española de 1978 a ocuparse prioritariamente de establecer no sólo un listado de derechos, libertades y deberes ciudadanos, sino, lo que es más importante, un sistema de garantías jurídicas que aseguren y protejan el ejercicio efectivo de tales derechos fundamentales. Ciertamente, sin la regulación de estas garantías no existiría un orden social justo, por la imposibilidad de ejercer esos derechos con total libertad y autonomía.

La Sentencia del Tribunal Supremo 98/1986 de 10 de julio considera detención "Cualquier situación en que la persona se ve impedida u obstaculizada para autodeterminar, por obra de su voluntad, una conducta ilícita... La detención es una situación fáctica, sin que pueda encontrarse zona intermedia entre detención y libertad...". Así, la Sentencia del Tribunal Constitucional 107/1985 de 7 de octubre define al detenido como: "a quien haya sido privado provisionalmente de su libertad por razón de presunta comisión de un ilícito penal y para su puesta a disposición de la Autoridad Judicial...".

En consecuencia, con base en la legislación aplicable (arts.489 y ss.) y a la doctrina jurisprudencial, toda privación de libertad debe ser considerada como detención.

La primera fase del procedimiento penal es la de investigación oficial del hecho presuntamente delictivo; con ella se inicia, por tanto, el procedimiento.

Las condiciones o presupuestos exigidos para la iniciación de la investigación oficial varían, dependiendo de la naturaleza del delito objeto de la misma, es decir, según se trate de un delito público, semipúblico o privado. Para el comienzo de la investigación oficial de los delitos públicos o "perseguibles de oficio" basta con que cualquiera de los órganos competentes para su investigación oficial adquiera por cualquier medio conocimiento de su posible comisión.

Pero tratándose de delitos privados será necesario para que se abra la investigación oficial de los mismos, además de la noticia de su comisión, un requerimiento de la víctima o de sus representantes legales e incluso una manifestación formal de la voluntad de perseguirlo hecha ante el Juez de Instrucción.

Delito in fraganti (artículo 490 LECr.) considerado, según el Tribunal Supremo (Jurisprudencia), como "Aquella situación fáctica en la que el delincuente es sorprendido en el momento de delinquir o en circunstancias inmediatas a la perpetración de ilícito". La existencia de este tipo de delito, según el citado Tribunal, exige la concurrencia de tres requisitos: inmediatez temporal, inmediatez personal y negocio urgente de intervención policial.

El principio de presunción de inocencia siempre quiebra ante los delitos flagrantes, ya que es propio de estos casos la ocupación del cuerpo del delito, por lo que la presunción de inocencia resulta incompatible con ellos. Así se ha venido pronunciando de forma reiteradísima del Tribunal Supremo: "El delito es ya por sí incompatible con la presunción de inocencia" (STS 06.07.1983, 10.10.1984, 29.12.1984, 28.02.1986, 21.06.1988, 19.10.1992, 21.02.1994, 17.10.1997 y 26.01.1998).

La circunstancia del «Flagrante delito», entre otras, fue desarrollada también en el artículo 21.2 de la LO 1/1992 de 21 de febrero, sobre protección de la Seguridad Ciudadana (también conocida como Ley Corcuera), que trató (en vano) de establecer una delimitación del concepto de «Flagrancia», en una definición que no fue aceptada por el Tribunal Constitucional. En efecto, en su Sentencia de 18 de noviembre de 1993 el Tribunal Constitucional declaró que la flagrancia debe interpretarse exclusivamente como percepción evidente o evidencia sobre la perpetración del delito (que exige la urgente intervención policial) y no como establecía la Ley Corcuera, como aquel «conocimiento fundado por parte de la Fuerza y Cuerpo de Seguridad... que les lleve a la constancia de que se está cometiendo o se ha cometido el delito...», porque, de hecho, tales expresiones son ambiguas y sobrepasan el núcleo esencial de lo que debe entenderse por flagrancia a la luz de la constitución española, así pues, el TC consideró inconstitucional el citado precepto.

La Constitución establece situaciones especiales, doctrinalmente consideradas como excepcionales al principio de igualdad (art. 14 CE dispone: «Los españoles son iguales ante la ley, sin que pueda prevalecer discriminación alguna por razón de nacimiento, raza, sexo, religión, opinión o cualquier otra condición o circunstancia personal o social»), en las que determinadas personas reciben un tratamiento diferenciado por parte de la Ley Penal, en función del cargo que ocupan. El Tribunal Constitucional en Sentencias del 101/1989 y 205/1989 admite estas circunstancias diferenciadoras en el principio de igualdad ante la ley.

En la famosa Sentencia del Tribunal Constitucional de 2 de julio de 1981, se menciona la diferencia entre la «igualdad ante la ley», que obliga al legislador a no realizar tratamientos diferentes de situaciones de hechos similares, y la «igualdad en la Ley», que supone dar un trato distinto a quienes son distintos, una cuestión objetiva, basada en circunstancias justas y razonables.

Una de tantas situaciones se corresponden con la inviolabilidad o inmunidades.

Figuras inviolables:
- El Rey.
- Los Diplomáticos.
- Los Jefes de Estado extranjeros y los Príncipes de las Familias Reinantes.
- Miembros del Parlamento Europeo.
- Diputados y Senadores.
- El Defensor del Pueblo.
- Magistrados del Tribunal Constitucional.

Figuras Inmunes:

- ❑ El presidente del Gobierno y sus Ministros.
- ❑ Diputados y Senadores, tanto al Parlamento Nacional como al Parlamento Europeo.
- ❑ El Defensor del Pueblo.
- ❑ Jueces y Fiscales.
- ❑ Miembros de las Fuerzas y Cuerpos de Seguridad.
- ❑ Clérigos y Religiosos.
- ❑ Militares.
- ❑ Presidentes, Interventores y Vocales de las mesas electorales.

La inmunidad es un derecho y privilegio de ciertas personas que durante el período de su mandato no pueden ser detenidos o procesados por actos realizados al margen de sus funciones. La detención sólo se permite en caso de Flagrante Delito. Y para ser inculpado o procesado se necesitará autorización previa de las respectivas cámaras. Es lo que los Reglamentos (véase por ejemplo el Texto refundido por el cual se aprueba el Reglamento 3 de mayo de 1994 del Senado y Reglamento del Congreso 10 de febrero de 1982 «BOE 5 de marzo de 1982». En la Legislatura 2008-2011 el Senado se compone de 264 senadores, de los cuales 56 han sido designados por las Comunidades Autónomas) denominan «Suplicatorios».

Estos privilegios y derechos se recogen en el artículo 71 CE y su significado no es personal, sino funcional, de manera que, para no quebrar el principio de igualdad ante la ley en una democracia, garantizan la independencia y la eficacia en el ejercicio del cargo de diputado o senador, de aquí, por ejemplo, que la inviolabilidad no se extienda a los actos de los parlamentarios ajenos al cumplimiento de su función, así como que la inmunidad o el fuero especial se contraigan al período de su mandato.

En la vertiente procesal hay que comentar que la jurisdicción, para conocer los delitos contra aforados, "Estatales" y "Autonómicos": [Presidente del Gobierno, Congreso, Senado, Tribunal Supremo, CC. AA.; Diputados y Senadores...; arts. 57.1.2.° y 73.3 a) de la Ley Orgánica 6/1985 de 1 de julio del Poder Judicial] es, en España, la Sala de lo Penal del Tribunal Supremo, en un procedimiento denominado especial (arts. 750 a 756 LECr.).

Tras la reforma en el Proceso Penal de revisión de sentencias penales y con las exigencias del Pacto Internacional de Derechos Civiles y Políticos de la ONU del que España es parte desde 1977, que en su artículo 14.5 dice que «Toda persona declarada culpable de un delito tendrá derecho a que el fallo condenatorio y la pena que se le haya impuesto sean sometidos a un Tribunal Superior, conforme a lo prescrito por la Ley», cabe el recurso de apelación (sección de apelación de la Sala de lo Penal) del Tribunal Supremo.

Así, en relación con los aforados y antes de la reforma de revisión de Sentencia, «excluidos» de la posibilidad de revisar sus fallos condenatorios sobre la base de que —STC 51/1985— «(...) determinadas personas gozan, *ex constitutione*, en atención a su cargo, de una especial protección que contrarresta la imposibilidad de acudir a una instancia superior, pudiendo afirmarse que esas particulares garantías (...) disculpan la falta de un segundo grado jurisdiccional (...)», el Comité de Derechos Humanos de la ONU en 2006 ha declarado —Comunicación 1211/2003— «(...) que una persona en razón de su cargo sea juzgada por un Tribunal de mayor jerarquía que el naturalmente correspondía, esta circunstancia no puede por sí sola menoscabar el Derecho de Acusado a la Revisión de su Sentencia, y condenada por un Tribunal Superior (...)».

Así, por ejemplo, los Diputados y Senadores cuentan con una serie de Derechos y Privilegios, una de ellas es la inmunidad durante el período de su mandato, lo que significa la imposibilidad de ser detenido o procesado por actos realizados al margen de sus funciones. La detención sólo se permite en caso de Flagrante delito. Y para ser inculpado o procesado se necesitará autorización previa de la respectiva cámara. Es lo que los reglamentos denominan «Suplicatorios».

La doctrina parece tener claro que la denegación del suplicatorio por parte de la cámara afectada interrumpe la prescripción del proceso y, en consecuencia, al concluir la legislatura correspondiente se podría retomar la causa penal. Por el contrario, el artículo 754 de la Ley de Enjuiciamiento Criminal nos dice que «si el Senado o el Congreso negasen la autorización pedida, se sobreseerá respecto al Senador o Diputado a Cortes; pero continuará la causa contra los demás procesados». Asimismo, la antigua, pero vigente, Ley de 9 de febrero de 1912, sobre competencia para conocer de las causas contra senadores y diputados, afirma en el primer inciso de su artículo 7 que «el Senado o Congreso denegase la autorización para procesar, se comunicará el acuerdo al Tribunal requirente, que dispondrá el sobreseimiento libre respecto al Senador o Diputado [...]».

Digno de mención fue la aprobación del Estatuto actual de Murcia, mediante Ley Orgánica 4/1982 de 9 de junio, modificado por la LO 1/1991 de 13 de marzo, LO 4/1994 de 24 de marzo y LO 1/1998 de 15 de junio. Uno de los objetivos de la reforma (...) era la elaboración de un Código de buen Gobierno, para que los cargos públicos se rijan por los principios de publicidad, transparencia, imparcialidad y honestidad.

PASOS PARA PROCESAR A UN MIEMBRO DE LAS CORTES GENERALES

El siguiente esquema recorre el procedimiento que se ha de seguir para poder emprender un proceso judicial contra un diputado o senador:

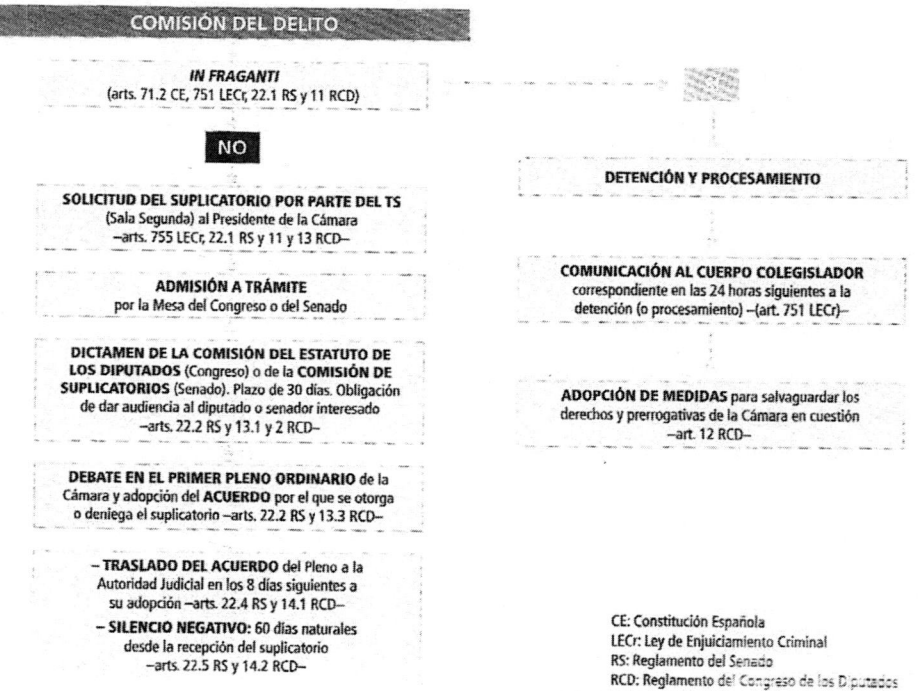

CONCEPTOS:

• DETENCIÓN PREVENTIVA: Privación temporal de libertad destinada a averiguar los hechos que puedan fundamentar una acusación posterior, y cuya duración máxima es de 72 horas.

• PRISIÓN PROVISIONAL O PREVENTIVA: Es acordada por el Juez sólo cuando, tras existir una imputación sobre una persona, relativa a la comisión de un delito, el Juez considera que existen razones que aconsejan el que el presunto culpable —aún no condenados— ingrese en prisión, con carácter preventivo, con o sin fianza, hasta que se celebre el juicio definitivo (entre estos motivos puede barajarse la alarma social que suponga ese presunto delito, los antecedentes del reo, su peligrosidad, fuga, etc.). El tiempo que pase en esta situación se le descontará del que después le corresponda cumplir cuando se dicte la sentencia definitiva y esta sea firme (irrecurrible).

• HÁBEAS CORPUS: Es el procedimiento que solicita toda persona detenida ilegalmente para producir la inmediata puesta a disposición judicial. La ley determina el plazo máximo de duración de la prisión provisional (LO 6/1984 de 24 de mayo).

• PRINCIPIO DE LEGALIDAD PENAL: Nadie puede ser condenado o sancionado por acciones u omisiones que en el momento de producirse no constituyeran delito, falta o infracción administrativa según la legislación vigente en aquel momento (art. 25 CE).

• DERECHO A LA TUTELA JUDICIAL EFECTIVA: Todas las personas tienen derecho a obtener la tutela efectiva de los Jueces y Tribunales en el ejercicio de sus derechos e intereses legítimos, sin que, en ningún caso, pueda producirse indefensión (art. 24 CE).

Capítulo 6

Acercamiento práctico a las investigaciones patrimoniales: fuentes de consulta

Ya, en la memoria de la Fiscalía del Tribunal Supremo de 1970, se incidió en el aspecto de poner de relieve que el aumento de la actividad económica, la producción y el consumo y el enriquecimiento rápido iban a posibilitar la comisión de abusos por parte de los empresarios, tendentes a conseguir un dinero fácil. Esta filosofía de negocios provechosos, fáciles ha servido para animar a muchos osados a lanzarse al mundo de los negocios, sin preparación ni experiencia para ello, lo que inevitablemente les obliga a recurrir a todo tipo de mecanismos y maniobras, que les permitan ocultar la situación real de la empresa una vez que esta se viene abajo. Son innegables las ventajas que las sociedades mercantiles ofrecen a la hora de utilizarlas como base para realizar comportamientos delictivos, ventajas que se derivan, principalmente, de la difusión de la responsabilidad en el seno de una persona jurídica o entidades sin personalidad jurídica.

Definimos la investigación patrimonial como: «Aquella situación que tiene como objetivo la indagación de bienes, derechos y propiedades que tiene una persona física o jurídica así como las entidades sin personalidad jurídica, tendentes a averiguar el origen y destino de los mismos así como la licitud o ilicitud».

Es este epígrafe desarrollaré los siguientes contenidos:

✓   ¿Por qué se inicia?
❖ Mandamiento Judicial.
❖ Investigaciones privadas: instancia de parte.
❖ Investigaciones tributarias: oficio o instancia de parte.
❖ Investigaciones policiales: oficio o instancia de parte.

✓   Fuentes de Consultas: públicas y privadas.
❖ Registros de acceso público.
  ▪ Registro mercantil.
  ▪ Registro de la propiedad.
  ▪ Registro público de resoluciones concursales.

- Registro Civil y Registro Civil Central.
- Plataforma de contratación del Estado.
- Registro Oficial de Licitadores y Empresas Clasificadas (ROLEC).
- Registro de Contrato del Sector Público.
- Registro de Fundaciones de Competencia Estatal.
- Registro de Bienes Muebles.
- Registro Catastral.
- Registro de la Dirección General Tráfico.
- Registro de la Comisión Nacional de Mercado de Valores.

❖ Registros de acceso privado o restringido (limitado):
  - Registro de la Agencia Estatal de la Administración Tributaria.
  - Registro Administrativo de Apoyo a la Administración de Justicia.
  - Registro de Aceptaciones Impagadas (RAI).
  - ASNEF.
  - Servicio ejecutivo de la Comisión de Prevención de Blanqueo de Capitales e Infracciones Monetarias.
  - Registro de la Tesorería General de la Seguridad Social.
  - Registro del Consejo General de Notariado.
  - Registro de Censos Territoriales.
  - Transcripciones judiciales.
  - Registro de entidades:
    o Bancarias.
    o Aseguradoras.
    o Inversión.
✓ Limitaciones.
✓ Objetivo de las investigaciones patrimonialistas.
✓ Organigrama de la Agencia Estatal de Administración Tributaria.

¿POR QUÉ SE INICIA UNA INVESTIGACIÓN PATRIMONIAL?

MANDAMIENTO JUDICIAL

El Juez quiere saber el patrimonio de una persona. Los motivos son variados, pero los más frecuentes, y en relación con el tema tratado, son: blanqueo de capital, delitos societarios, delito fiscal, alzamiento de bienes, ocultación o transmisión de bienes o derechos con la finalidad de impedir la actuación judicial o tributaria, levantamiento de bienes, utilización de personas jurídicas creadas o utilizadas de forma abusiva o fraudulenta para eludir la responsabilidad patrimonial universal (art. 1.911 CC), confusión o desviación de patrimonio, etc.

INVESTIGACIONES PRIVADAS

Los Detectives Privados en la actualidad se dedican, principalmente, a la búsqueda y obtención de pruebas para cualquier tipo de procedimiento judicial y extrajudicial y es por ello que han adoptado el anglicismo *litigation support* (soporte en el litigio) para ofertar sus servicios a los abogados de nuestro país.

El *litigation support* es la asistencia continua al letrado no sólo en la búsqueda de pruebas sino también en el examen individualizado y pormenorizado de toda la actividad probatoria del proceso, debiendo el detective analizar cada una de las pruebas y testigos que aparecen en la causa para localizar falsedades, contradicciones y nuevas pruebas.

Las grandes agencias de detectives centran sus investigaciones en la búsqueda de bienes ocultos y en la obtención de material probatorio para fundamentar una demanda o querella o para rebatir la misma fundamentando sus informes en la Ley de Seguridad Privada (LSP) y en la Ley de Enjuiciamiento Civil (LEC).

La Ley 23/1992 de Seguridad Privada y su Reglamento (arts. 19.1 y 10 RSP) reservan al Detective Privado, con carácter excluyente a otros colectivos, la función de obtención, por cuenta de personas físicas y jurídicas, de información y pruebas sobre hechos y conductas privadas.

INVESTIGACIONES TRIBUTARIAS

El procedimiento de Inspección se iniciará (art. 147 de la LGT): a) De oficio. b) A petición del obligado tributario, en los términos establecidos en el artículo 149 de la LGT.

Los obligados tributarios deben ser informados al inicio de las actuaciones del procedimiento de inspección sobre la naturaleza de las mismas, así como de sus derechos y obligaciones en el curso de tales actuaciones.

Lógicamente, la atribución de funciones lleva aparejada la dotación de medios o facultades para su consecución. Así, para el cumplimiento de los cometidos o funciones que acabamos de señalar, nuestro Derecho Positivo atribuye a la Inspección de los Tributos las siguientes facultades de conformidad con lo previsto en el artículo 142 de la LGT:

1. Examen de la Documentación del Interesado (art. 142.1 de la LGT).
2. Requerir información (arts. 93 y 95 de la LGT y 55 a 57 Real Decreto 1065/2007).
3. Entrada en fincas particulares (arts. 113 y 142.2 de la LGT).
4. Personación del obligado tributario (art. 142 de la LGT).
5. Adopción de medidas cautelares (art. 146 de la LGT).

La Inspección de los Tributos emitirá, de oficio o a petición de terceros, los informes (art. 1065/2007) que:

1.   Sean Preceptivos conforme al ordenamiento jurídico.
2.   Le soliciten otros órganos o servicios de la Administración o los poderes legislativos y judicial, en los términos previstos en las leyes.
3.   Resulten necesarios para aplicación de los tributos.

En particular, los órganos de aplicación de los tributos deberían emitir informe en los siguientes supuestos:

a)   Cuando se complementen las diligencias que recojan hechos o conductas que pudieran ser constitutivos de infracciones tributarias y no corresponda al mismo órgano la tramitación del procedimiento sancionador.
b)   Cuando se aprecien indicios de delito contra la Hacienda Pública y se remita el expediente al órgano judicial competente o al Ministerio Fiscal.

A lo largo del Real Decreto 1065/2007 se contemplan diversas situaciones y se remite en cuales los órganos de aplicación de los tributos emiten informes.

INVESTIGACIONES POLICIALES

Está claro que hoy lo que prima (en la lucha contra el blanqueo de capital) es eliminar el poder económico, el entramado financiero del delincuente. Eso lo tienen muy claro hoy los distintos cuerpos y fuerzas de seguridad. No se trata de detener, se trata de eliminar su poder económico.

Se trata de demostrar que el dinero que tiene es originario de actividades delictivas y eso, muchas veces, es muy difícil de demostrar.

La demostración patrimonial se considera un indicio en la valoración de la prueba a la hora del juicio oral, de ahí la importancia de hacerlo bien.

No está de más recordar que el incremento patrimonial y las cuentas bancarias no crecen por generación espontánea.

Capítulo 7

Fuentes de consulta: registros públicos y privados

❖ REGISTROS DE ACCESO PÚBLICO

✓ **REGISTRO MERCANTIL** (www.rmc.es)

Dependiente del Ministerio de Justicia e integrado por el Registro Mercantil Central y Registro Mercantil Territorial (son de consulta pública). Aquí figuran todos los datos de:

- Cuentas Anuales: Balance, Cuenta de Pérdidas y Ganancias, ECPN, Estado de Flujo de Efectivo y Memoria.
- Libro Registro de Socios para SRL.
- Libro Registro de acciones nominativas para SA y SCA.
- Órganos Sociales.
- Administradores.
- Aportaciones dinerarias y no dinerarias.
- Representaciones.
- Actos Jurídicos.
- Operaciones Societarias.
- Información judicial: embargos, situaciones concursales, etc.
- Actos del BORME.
- Bienes de Inversión

✓ **REGISTRO DE LA PROPIEDAD** (www.registradores.org).

Es público para todo aquel que tenga interés en averiguar el estado de los bienes inmuebles o derechos reales anotados o inscritos, en tal sentido se pronuncia el art. 607 del Código Civil.

Se pueden consultar los datos referentes a:
- Bienes inmuebles.
- Bienes Rústicos.
- Expropiaciones Urbanísticas.
- Obras Nuevas.
- Cesiones obligatorias.

- Licencias Urbanísticas.
- Parcelaciones.
- Segregaciones.
- Proyectos de equidistribución.
- Embargos.

✓ **REGISTRO PÚBLICO DE RESOLUCIONES CONCURSALES** (www.publicidadconcursal.es)

El Registro Público de Resoluciones Concursales al que se accede en esta página web es el sistema de publicidad legal en Internet de situaciones concursales previsto en la Ley 22/2003, de 9 de julio, Concursal. Este servicio público, gestionado por el Colegio de Registradores de la Propiedad, Mercantiles y de Bienes Muebles bajo la dependencia del Ministerio de Justicia, tiene por finalidad asegurar la "publicidad-noticia" o meramente informativa de las resoluciones judiciales más relevantes relacionadas con cualquier tipo de concursados, siendo el acceso público y gratuito sin que se requiera justificar o manifestar interés legítimo alguno que se presume en el solicitante de la información. Además, informa sobre el nombramiento y cese por cualquier causa de los administradores concursales y el de los auxiliares delegados.

✓ **REGISTRO CIVIL Y REGISTRO CENTRAL CIVIL** (www.mjusticia.es)

El registro civil central es un registro dependiente del Ministerio de Justicia en el que se inscriben los hechos para cuya inscripción no resulte competente ningún otro registro que no puedan inscribirse por concurrir circunstancias excepcionales que impidan el funcionamiento del Registro correspondiente.

El Registro Civil es público para quienes tengan interés en conocer los asientos, salvo en determinados casos que impiden que se dé publicidad sin autorización especial (por ejemplo: del legado de abortos, etc.). La Orden JUS/1468/2007 de 17 de mayo impulsó la informatización de los registros civiles, previstas ya en la Orden 19 de junio de 1999 sobre informatización de los Registros Civiles.

En el Registro Civil Central se inscriben sustancialmente los mismos hechos que en cualquier Registro Municipal o Consular y específicamente:
- El nacimiento de españoles ocurrido en el extranjero.

- El nacimiento de extranjeros que adquieran la nacionalidad española.
- El nacimiento y la adopción constituida en el extranjero.
- Las modificaciones de nacionalidad y vecindad de personas nacidas en el extranjero.
- El matrimonio celebrado en el extranjero entre españoles o personas que posteriormente adquieren la nacionalidad española.
- El matrimonio secreto.
- La defunción de españoles ocurrida en el extranjero.

En el Registro Civil, figuran datos sobre:
- Filiaciones.
- Matrimonios y separaciones
- Nacimientos y defunciones.

Dirección del Registro Civil Central:
C/ de la Bolsa n.º 1
28012 Madrid.
Tlfno.: 91 389 55 00
Fax: 91 522 29 68
E-MAIL: registrocivilcentral.información@justicia.es

✓ **PLATAFORMA DE CONTRATACIÓN DEL ESTADO** (www. contratacióndelestado.es)

La Junta Consultiva de Contratación Administrativa del Estado (JCCA), a través de sus órganos de apoyo técnico, pone a disposición de todos los órganos de contratación del sector público una plataforma electrónica que permite dar publicidad a través de Internet a las convocatorias de licitaciones y sus resultados y a cuanta información consideren relevante a los contratos que celebren. En todo caso, los órganos de contratación de la Administración General del Estado (AGE), sus Organismos Autónomos (OA), Empresas Gestoras y Servicios Comunes de la Seguridad Social (EE. GG. y SCSS de la SS) y demás Entidades Públicas estatales deberán publicar en esta plataforma su perfil de Contratante.

Aquí figuran datos como:
- Licitaciones y resultados.
- Pliegos.
- Perfil del Contratante.

✓ **REGISTRO OFICIAL DE LICITADORES Y EMPRESAS CLA-SIFICADAS**

El ROLEC del Estado dependerá del Ministerio de Economía y Hacienda, y se llevará por los órganos de apoyo técnico de la JCCA.

En el ROLEC del Estado se hacen constar los datos relativos a la capacidad de los empresarios que hayan sido clasificados por la JCCA del Estado, así como aquellos que hayan solicitado la inscripción de alguno de los datos del artículo 303.1 a)-d) de Ley 30/2007 de 30 de octubre de Contratos del Sector Público (LCSP).

Las Comunidades Autónomas podrán crear sus propios Registros Oficiales de Licitadores y Empresas Clasificadas (ROLEC).

Los Registros son públicos para todos los que tengan interés legítimo en conocer su contenido.

✓ **REGISTRO DE CONTRATOS DEL SECTOR PÚBLICO**

El Ministerio de Economía y Hacienda creará y mantendrá un Registro de Contratos, en el que se inscriben los datos básicos de los contratos adjudicados por las distintas Administraciones Públicas y demás entidades del sector público sujetos a la ley.

El Registro de Contratos del Sector Público (RCSP) constituye el sistema oficial central de información sobre la contratación en España y, como tal, el soporte para el conocimiento y análisis de la contratación pública, para la estadística en materia de contratos públicos, para el cumplimiento de las obligaciones internacionales de España en materia de información sobre la contratación pública, para las comunidades de los datos sobre contratos a otros órganos de la Administración que estén legalmente previstas y para su difusión pública.

El Gobierno eleva anualmente a las Cortes Generales un informe sobre la contratación pública en España, a partir de los datos y análisis proporcionados por el Registro Público de Contratos del Sector Público.

✓ **REGISTRO DE FUNDACIONES DE COMPETENCIA ESTATAL** (www.mcu.es/fundaciones/CE/registro/funciones.html)

Regulado por el Real Decreto 1611/2007 de 7 de diciembre (BOE de 19 de enero de 2008). Es un Registro Público, y el ejercicio de la publicidad

formal que corresponde al RFCE se ajusta a la normativa vigente en materia de protección de datos personales, que contiene datos:
- Legalización de libros obligatorios.
- Nombramiento de Auditores de Cuentas.
- Plan de Actuación.
- Documentación Complementaria.

Puede expedir:
- Certificaciones.
- Notas simples informativas.
- Copias de los asientos y documentos depositados.

✓ **REGISTRO DE BIENES MUEBLES**

En este registro son bienes inscribibles los muebles y semovientes (ejemplos: aeronaves y embarcaciones, etc.) que no son considerados inmuebles por el artículo 334 del Código Civil.

Está relacionado con el Registro de bienes Muebles, el Registro de Hipoteca mobiliaria y Prenda sin desplazamiento de la localidad donde se encuentren depositados los bienes así como con el Registro de Venta a plazos de bienes muebles dirigido por el Registrador de la Propiedad (véase Ley 28/1998 de 13 de julio de Venta a Plazos de Bienes muebles).
Aquí figuran datos sobre:
- Titularidad.
- Cargas.
- Embargos y Trabas.
- Reservas de dominio.
- Contratos (los que lo hayan registrado).
- Hipoteca mobiliaria.
- Prenda sin Desplazamiento.

✓ **REGISTRO CATASTRAL** (www.catastro.meh.es)

La página web del Catastro Inmobiliario nos permite acceder a diversas herramientas, de utilidad tanto para los profesionales como para cualquier particular. Destaca la posibilidad de descargar el programa PADECA, aplicación informática de ayuda para la elaboración de declaraciones catastrales relativas a bienes inmuebles de naturaleza urbana y rústica, así como agilizar su grabación y tramitación por las Gerencias Territoriales del Catastro a través de la lectura electrónica de los datos de la declaración generada por la mencionada aplicación.

La definición de los Catastros aparece en la disposición adicional cuarta de la Ley 39/1988 de 28 de diciembre, reguladora de las Haciendas Locales. Se definen de la siguiente manera: "Los Catastros Inmobiliarios Rústico y Urbano están constituidos por el conjunto de datos y descripciones de los bienes inmuebles rústicos y urbanos, con expresión de superficies, situación, linderos, cultivos o aprovechamiento, calidades, valores y demás circunstancias físicas, económicas y jurídicas que den a conocer la propiedad territorial y la definan en sus diferentes aspectos y aplicaciones".

El catastro (véase Texto Refundido de la ley del Catastro Inmobiliario, aprobado por el Real Decreto Legislativo 1/2004 de 5 de marzo) ofrece por tanto información de tres tipos: Fiscal, Sistema de información territorial y Jurídica, cumpliendo tres funciones principales:

Función jurídica: consiste en la identificación precisa de los bienes inmuebles, a través de la referencia catastral, y su vinculación con el Registro de la Propiedad, para dotar de seguridad y transparencia al tráfico inmobiliario. **Función de aportación de datos físicos**: comprende todos los datos que sirven para poder identificar el inmueble en cuestión: situación, forma, linderos, superficie... **Función económica y sobre todo fiscal**: de inventario y valoración de los bienes inmuebles, a fin de servir de base a diversos tributos de bases inmobiliaria como el Impuesto sobre la Renta de las Personas Físicas, Impuesto sobre Sociedades, Impuesto sobre Sucesiones y Donaciones, Impuesto sobre el Incremento del Valor de los Terrenos de Naturaleza Urbana y, sobre todo, el Impuesto sobre Bienes Inmuebles. Hace referencia a la determinación del llamado valor catastral.

En el Catastro debe figurar registrada la totalidad de los inmuebles del territorio nacional, salvo los del País Vasco y Navarra, que cuentan con regímenes forales propios, con expresión de todos los elementos que ya han señalado.

El Catastro es un Registro en el que están inventariados todos los inmuebles tanto rústico como urbanos del país, y se pueden consultar datos catastrales no protegidos —mediante búsqueda por referencia catastral o por dirección del inmueble— y comprobarse los certificados catastrales. Aquellos que cuenten con certificación digital podrán consultar y certificar los inmuebles de los que son titulares y visualizar las certificaciones sobre sus inmuebles solicitadas por otros usuarios.

La dirección General del Catastro está integrada por los siguientes órganos con rango de subdirección general:

a) La Subdirección General de Valoración e Inspección.
b) La Subdirección General de Estudios y Sistemas de Información.
c) La Subdirección General de procedimiento y Atención al Ciudadano.
d) La Secretaria General.

Están adscritos a la Dirección General del Catastro:

a) El Consejo Superior de la Propiedad Inmobiliaria.
b) Las Comisiones Superiores de Coordinación Inmobiliaria de Rústica y Urbana.
c) La Comisión Técnica de Cooperación Catastral.

Datos añadidos que también se pueden solicitar:

o Certificaciones gráficas.
o Ortofotos.
o Valor catastral y rústico.

✓ **REGISTRO DE LA DIRECCIÓN GENERAL DE TRÁFICO** (www.dgt.es)

Aquí figuran datos de acceso público, sobre:
▪ Información sobre los datos fiscales de vehículos.
▪ Cargas.
▪ Titularidad.
▪ Información Administrativa: Permisos de Circulación, Licencias de Conducción, tarjetas de identidad, etc.

✓ **REGISTRO DE LA COMISIÓN NACIONAL DE MERCADO DE VALORES** (www.cnmv.es)

La CNMV es el organismo encargado de la supervisión e inspección de los mercados de valores y de la actividad de cuantos intervienen en los mismos. Fue creada por la Ley 24/1988, de Mercado de Valores, que supuso una profunda reforma de este segmento del sistema financiero español. Las leyes 37/1998 y 44/2002 han venido a actualizar la anterior, estableciendo un marco regulador adaptado a las exigencias de la Unión Europea, propicio para el desarrollo de los mercados de valores españoles en el entorno europeo, e incorporando nuevas medidas para la protección de los inversores.

Gran parte de la información que contienen sus registros oficiales tiene carácter público.

La CNMV, a través de la Agencia Nacional de Codificación de Valores, asigna códigos ISIN y CFI, con validez internacional, a todas las emisiones de valores que se realizan en España.

Otra fuente de información son los archivos judiciales, territoriales y centrales regulados en el Real Decreto 937/2003 de 18 de julio de uso, entre otras, por las personas titulares de un interés legítimo o por quienes hubieran sido parte en los procesos judiciales (art. 355 LOPJ). Otra fuente de consulta son los documentos de la Junta de Expurgo.

❖ REGISTROS DE ACCESO PRIVADO O RESTRINGIDO

✓ AGENCIA ESTATAL DE LA ADMINISTRACIÓN TRIBUTA-RIA (www.aeat.es)

La Ley 31/1990 de 27 de diciembre, de Presupuestos Generales del Estado para 1991, creó, adscrita al Ministerio de Economía y Hacienda, a través de la Secretaría del Estado de Hacienda, la denominada Agencia Estatal de Administración Tributaria (AEAT), a la que configura como un ente de Derecho Público de los previstos en el artículo 6.º 5 de la Ley General Presupuestaria, sucediendo en sus funciones a la Secretaría General de Hacienda, a los órganos de la Administración Territorial de la Hacienda Pública y a sus Organismos Autónomos.

La naturaleza jurídica de la Agencia es la de un organismo público con personalidad jurídica propia y plena capacidad pública y privada. La Agencia pertenece, pues, a la llamada Administración Institucional. Los créditos y recaudación de los tributos o recursos gestionados por la Agencia forman parte del Tesoro Público y se ingresan directamente en el Banco de España.

Aquí figuran todos los datos de:
- Declaraciones informativas.
- Autoliquidaciones: IRPF, IVA, IMPUESTO SOBRE SOCIEDADES y RETENCIONES Y PAGOS A CUENTA.
- Comunicaciones de datos.
- Declaraciones, autoliquidaciones y comunicaciones complementarias o sustitutivas.
- Representaciones legales.
- Declaración anual de operaciones con terceros.
- Declaración de movimiento de dinero (cierto límite): interior y exterior.
- Capital social de Constitución.
- Identificación de socios, miembros o partícipes fundadores.

- Entrega y adquisiciones intracomunitarias de bienes sujetas al IVA.
- Retenciones e ingresos a cuenta satisfecho.
- Rendimiento de actividades profesionales, empresariales y agrícolas, ganaderas y forestales.
- Partícipes y aportaciones a planes de pensiones.
- Concesión de préstamos hipotecarios para la adquisición de viviendas.
- Percepciones de donativos.
- Ganancias patrimoniales.
- Enajenación de acciones o participaciones por los socios o partícipes de las Entidades de Instituciones de Inversión Colectiva.
- Premios satisfechos exentos del IRPF.
- Pagos Fraccionados en el IRPF y IDS.
- Autoliquidaciones no periódicas: impuestos especiales sobre determinados medios de transporte.
- Censo de obligados tributarios.
- Censo de empresarios, profesionales o tenedores, integrado por:
  o Registro de Operadores Intracomunitarios.
  o Registro de Devolución Mensual.
  o Registro de Grandes Empresas.
  o Registro Territorial de los Impuestos Especiales de Fabricación
- Rendimientos de:
  o ¡Arrendamiento o subarrendamiento de inmuebles.
  o Rendimientos de capital mobiliario.
  o Rendimientos implícitos.
  o Intereses de cuentas bancarias.
  o Operaciones con letras del Tesoro.

✓ **REGISTRO ADMINISTRATIVO DE APOYO A LA ADMINIS-TRACIÓN DE JUSTICIA**

Por el Real Decreto 95/2009 de 6 de febrero, por el que se regula el sistema de registros administrativos de apoyo a la Administración de Justicia (BOE del 7). El sistema de registros constituye un sistema de información de carácter no público cuyo objetivo fundamental es servir de apoyo a la actividad de los órganos judiciales y del Ministerio Fiscal, de las Fuerzas y Cuerpos de Seguridad del Estado y Cuerpos de policía de las Comunidades Autónomas con competencias plenas en materia de seguridad pública, y de otros órganos administrativos, en el ámbito de las competencias delimitadas en el presente Real Decreto.

Este sistema, integrado por las bases de datos de los registros que a continuación se relacionan, tiene por objetivo, en cada caso:

o Registro Central de Penados.
o Registro Central de Medidas Cautelares.
o Registro Central para la Protección de las Víctimas de Violencia Doméstica.
o Registro Central de Rebeldes Civiles.
o Registro Central de Sentencias de Responsabilidad Penal de los Menores.

Información sobre, entre otras:

o Órdenes en vigor sobre busca y captura.
o Órdenes de detención.
o Prisión provisional o medidas cautelares.
o Incurso en otras causas criminales por delito.
o Etc.

✓ **REGISTRO DE LA ASOCIACIÓN NACIONAL DE ESTABLE-CIMIENTOS FINANCIEROS DE CRÉDITOS (ASNEF)** (www.asnef.com)

La Asociación Nacional de Establecimientos Financieros de Crédito (AS-NEF) fue constituida en 1957 como una organización empresarial y que sirve de enlace entre las entidades crediticias y las Administraciones Públicas, y con su labor pretende facilitar, a los consumidores y empresarios, el acceso a los bienes de consumo. Dentro de sus muchos objetivos, el primordial es que funciona como un registro de morosos, y tiene como objetivo comunicar esta información a todas las empresas crediticias asociadas a la ASNEF.

ASNEF creó el registro de morosos más grande de España, que incluye los datos e información de todas las personas que tienen o hayan tenido una deuda impagada, estas pueden ser desde facturas de teléfono hasta créditos personales, adeudos con la tarjeta de crédito, etc.

Según la Ley Orgánica 5/1992, tan pronto como se entra en una lista de morosos, el afectado debe ser avisado en un plazo máximo de 30 días, para que este pueda informarse y, sobre todo, ejercer su derecho de rectificación y cancelación.

Fichero electrónico de la ASNEF: www.ederechos.equifax.es.

✓ **REGISTRO DE ACEPTACIONES IMPAGADAS** (www.ficherorai. com)

El RAI o Registro de Aceptaciones Impagadas es uno de los mayores registros de morosos españoles y a su vez el más importante de España, ya que contiene la mayor fuente de información negativa sobre sociedades.

El 95% de las entidades bancarias en España consultan para la valoración de operaciones comerciales esta base de datos.

¿Qué datos hay en el RAI?:
- Número total de efectos impagados por una sociedad.
- El importe total que suman los mismos.
- La fecha de la última incidencia apuntada.

✓ **SERVICIO EJECUTIVO DE LA COMISIÓN DE PREVENCIÓN DE BLANQUEO DE CAPITALES E INFRACCIONES MONETARIAS** (www.seplac.es)

La única novedad de la Ley General Tributaria en el artículo 94 es la mención expresa del Servicio Ejecutivo de la Comisión de Prevención del Blanqueo de Capitales e Infracciones Monetarias y la Comisión de Vigilancia de Actividades de Financiación del Terrorismo, como obligados a facilitar «cuantos datos con trascendencia tributaria obtengan en el ejercicio de sus funciones, de oficio, con carácter general o mediante requerimiento individualizado en los términos que reglamentariamente se establezcan».

✓ **REGISTRO DE LA TESORERÍA GENERAL DE LA SEGURIDAD** (www.seg-social.es) o (www.inem.es)

Aquí figuran todos los datos de:
- Afiliaciones (altas y bajas).
- Cotizaciones.
- Partes Médicos (Incapacidades Temporales o definitivas).
- Modalidades de pago.

✓ **REGISTRO GENERAL DEL NOTARIADO** (www.notariado.org)

La Ley de 28 de mayo de 1862 Orgánica del Registro y del Notariado formula el Secreto del protocolo en términos muy amplios, pero en el ámbito tributario se reduce a lo que pueda afectar al honor y a la intimidad de la persona, como sucede en particular con las cuestiones matrimoniales (salvo régimen económico-matrimonial) y las materias a que se refieren los artículos 34 (libro reservado a testamentos y codicilos) y 35 (reconocimiento de hijos) de dicha ley.

✓ **REGISTRO DE CENSOS TERRITORIALES**

En estos registros cuyo acceso sólo es posible por el interesado en momento y actos concretos, constan datos sobre: filiación, domicilio habitual, localidad, provincia, Estado, etc.

✓ **REGISTRO DE TRANSCRIPCIONES JUDICIALES** (www.transcripcionjudicial.com)

Generalmente, suelen existir empresas, en el entorno editorial, que suelen transcribir todo o parte de un juicio. La transcripción suele ser enviada por *e-mail* para su edición e impresión del texto.

Enlace de Interés:
URL: www.transcripcionjudicial.com
Legal Informa S.L.
C/ Comandante Zorita 13. 3.º
28029 Madrid

Capítulo 8

Limitaciones

La Constitución Española de diciembre de 1978 (consagra el derecho fundamental a la inviolabilidad del domicilio) en su artículo 18 señala y garantiza el derecho al honor, a la intimidad personal y familiar y a la propia imagen, así como garantiza el secreto de las comunicaciones y la inviolabilidad del domicilio, que ninguna entrada o registro podrá hacerse en él sin consentimiento del titular o resolución judicial, salvo en caso de flagrante delito. También se limita el uso de la informática para garantizar el honor y la intimidad personal y familiar de los ciudadanos y el pleno ejercicio de sus derechos.

El mayor problema de la investigación por parte de Funcionarios del Estado, Comunidades Autónomas y Entidades Locales, actualmente, es la Agencia de Protección de Datos, ente de derecho público con personalidad jurídica propia e independiente de las Administraciones Públicas, es la encargada de velar por el cumplimiento de la legislación sobre protección de datos y controlar su aplicación, en especial en lo relativo a los derechos de información, acceso, rectificación, oposición y cancelación de datos.

Por ello, la Ley Orgánica 15/1999 de 13 de diciembre, de Protección de Datos (LOPD), trata de salvaguardar que el tratamiento de esos datos se realice con las debidas garantías, ocupándose del *outsourcing* (externalización de procesos de negocio) en su artículo 12, en el que lo denominan acceso a datos por cuenta de terceros.

Debe tenerse en cuenta que la Ley establece unas medidas de seguridad de mínimos, pudiendo pactarse medidas de seguridad más estrictas que las contempladas en el Reglamento de medidas de seguridad (Real Decreto 994/1999 de 11 de junio).
Es necesario tener en cuenta que muchas de las fuentes mencionadas requieren autorización judicial para su consultas.

Así, el artículo 11.1 de la Ley Orgánica 6/1985 de 1 de julio del Poder Judicial (LOPJ) dispone que no surtirán efecto las pruebas obtenidas directa o indirectamente violentando los derechos y libertades fundamentales; asimismo, el artículo 287.1 de la LEC establece que las partes deben alegar la posible ilicitud de la prueba, cuestión que también puede ser suscitada de oficio por el Tribunal.

Por su parte, nuestro abanico normativo no se detiene aquí, dado que nuestro Código Penal vigente contempla como delitos, entre otros, determinadas conductas que atentan contra el derecho al secreto de las comunicaciones o vulneran el derecho a la intimidad.

Para saber más:

URL: www.agpd.es -> Agencia Española de Protección de Datos.

Capítulo 9

Objetivos de las investigaciones patrimonialistas

Motivos particulares:
- Demostrar la asociación para delinquir.
- Incriminar a las sociedades tapaderas, que encubren entramados económicos y ocultación de patrimonios ajenos.
- Actuación de testaferros.
- Manipulaciones de situaciones económicas desde una sociedad.
- Utilización de información privilegiada para realizar operaciones ilícitas.
- Creación de personas jurídicas para eludir la responsabilidad patrimonial universal (art. 1.911 CC).
- Confusión o desviación patrimonial.
- Construcción jurisprudencial del levantamiento del velo.
- Declaración de invalidez de aquellos negocios jurídicos que fueron realizados para conseguir la ineficacia de la responsabilidad patrimonial.
- Utilización fraudulenta de la autonomía patrimonial de las personas jurídicas para evitar la responsabilidad por deudas.
- Adopción de medidas cautelares o preventivas para la conservación de los bienes que integran el patrimonio de una sociedad o persona física.
- Operaciones de reestructuración empresarial.
- Alzamiento de bienes, apropiación indebida, prevaricación, cohecho o malversación.
- Declaraciones de voluntad para crear una apariencia de negocio jurídico que no existe o para hacer figurar uno que es distinto del realmente celebrado (simulación).
- Aseguramiento de pruebas.
- Quebrantamiento de depósito.
- Ejercicio de tercerías: de dominio y de mejor derecho.
- Estudios económicos, sectoriales y sociológicos de la criminalidad empresarial (delitos societarios).
- Embargos:
  - Dinero efectivo o en cuentas abiertas en entidades de crédito.
  - Créditos, efectos, valores y derechos realizables en el acto o corto plazo.
  - Sueldos, salarios y pensiones.

- Bienes inmuebles.
- Intereses, rentas y frutos de toda especie.
- Establecimientos mercantiles o industriales.
- Metales preciosos, piedras finas, joyería, orfebrería y antigüedades.
- Bienes muebles y semovientes.
- Créditos, efectos, valores y derechos realizables a largo plazo.

Motivos generales:
- Demostrar la conexión patrimonial, financiera y comercial.
- Demostrar las relaciones societarias y personales.
- Demostrar la vinculación de movimientos de dinero con la actividad delictiva concreta.
- Intentar aflorar patrimonios ocultos, sobre todo en otros países. El problema de los paraísos fiscales con un rígido secreto bancario.
- Intentar demostrar las operaciones irregulares o ilícitas.
- Etc.

Capítulo 10

Organigrama de la Agencia Estatal de la Administración Tributaria (AEAT)

La AEAT es la organización administrativa responsable, en nombre y por cuenta del Estado, de la aplicación efectiva del sistema tributario estatal y del aduanero, y de aquellos recursos de otras Administraciones y Entes Públicos nacionales o de las Comunidades Europeas cuya gestión se le encomiende por Ley o por Convenio.

Organización Central

Órganos rectores
a) El Presidente.
b) El Director General.
c) El Consejo Superior de Dirección.
d) La Comisión de Seguridad y Control.
e) Colaboración Policial contra el Fraude Fiscal.
f) Órganos de participación de las Comunidades y Ciudades con Estatuto de Autonomía en la AEAT.

1. Órganos Directivos
a) Departamento de Gestión Tributaria.
b) Departamento de Inspección Financiera y Tributaria.
c) Departamento de Recaudación.
d) Departamento de Aduanas e Impuestos Especiales.
e) Departamento de Organización, Planificación y Relaciones Institucionales.
f) Departamento de Informática Tributaria.
g) Departamento de Recursos Humanos y Administración Económica.

Capítulo 1 Organización Territorial
a) Delegaciones Especiales de la Agencia.
b) Delegaciones de la Agencia.
c) Administraciones de la Agencia.

Igualmente, integran la Administración Territorial de la Hacienda Pública los Tribunales Económico-Administrativos Provinciales.

En el ámbito de la Inspección Tributaria, se considera que una actuación inspectora reviste especial dificultad cuando el motivo de la selección y asistencia del expediente sea la comprobación y, en su caso, regularización de las siguientes materias: operaciones de reestructuración empresarial, tributación en el Impuesto sobre el Valor Añadido por el régimen especial del grupo de entidades, tributación en el impuesto de sociedades por el régimen de consolidación fiscal.

Se consideran también de especial dificultad sobrevenida los expedientes en los que: (...) la cantidad que pudiera ser regularizada exceda de la cuantía fijada en el artículo 305 del vigente Código Penal.

Para colaborar con los servicios correspondientes de la AEAT en la investigación y persecución del fraude fiscal, se crea una unidad especializada (colaboración policial contra el fraude fiscal) en dicha materia, que depende orgánicamente del Ministerio del Interior.

Las funciones de la unidad se desempeñan de acuerdo con las directrices de la AEAT y encuadradas en sus planes de trabajo, sin perjuicio de las competencias y caracteres propios de la Policía Judicial. En dicho desempeño, los funcionarios de la Unidad tendrán acceso a la información con trascendencia tributaria de los contribuyentes cuya investigación se les encomiende y a los datos, informes o antecedentes obtenidos por la AEAT referentes, a los mismos, con las mismas obligaciones de secreto y sigilo previstas en el apartado cuarto, 8 para el personal de la AEAT.

Capítulo 11

Aspectos jurídico-fiscales del blanqueo de capitales: introducción a los *tax haven* y convenios de doble imposición

La liberalización de los movimientos de capital en España encuentra sus raíces en el proyecto conjunto de la Comunidad Europea de avanzar hacia la construcción de una Unión Económica y Monetaria.

De este modo, el Gobierno español redactó (en aplicación de la Directiva 88/361 del Consejo de la CEE, de 24 de junio de 1988) el Real Decreto 1816/1991, de 20 de diciembre (BOE del 27 de diciembre), con fecha de entrada en vigor de 1 de febrero de 1992, por el que se llevó a cabo «la plena liberalización de las transacciones de las transferencias y transacciones con el exterior», extendiéndose dicha liberalización no sólo a los estados miembros de la Comunidad Europea, sino, asimismo, a los terceros países.

Esta normativa, por su parte, tiene sus orígenes en el artículo 106.1 del Tratado de Roma (constitutivo de la Comunidad Económica Europea), el cual dispone que:

«Cada Estado miembro se compromete a autorizar los pagos relacionados con los intercambios de mercancías, servicios y capitales, así como las transferencias de capitales y salarios, en la moneda del Estado miembro donde resida el acreedor o el beneficiario, en la medida en que la circulación de mercancías, servicios y capitales y personas haya sido liberalizada entre los Estados miembros en aplicación del presente Tratado».

Ahora bien, esta «liberalización» exigía revisar y adaptar la caduca normativa española en materia de control de cambios, la cual sometía las inversiones extranjeras en España y las españolas en el exterior a rigurosos controles administrativos, cuando no a serias restricciones.

Con esta nueva perspectiva vieron la luz dos nuevas disposiciones:

➢ El Real Decreto 671/1992, de 2 de julio, sobre Régimen de las inversiones extranjeras en España.
➢ El Real Decreto 672/1992, de 2 de julio sobre Régimen de las inversiones españolas en el exterior.

El Real Decreto 664/1999 de 23 de abril, sobre inversiones exteriores, deroga expresamente las dos disposiciones anteriores. Con este Real Decreto se aprobó una regulación única que establece, con carácter general, la libertad de movimientos de capitales.

Los cobros y pagos derivados de las inversiones exteriores se efectuarán conforme a los procedimientos establecidos en el Real Decreto 1816/1991 de 20 de diciembre, sobre transacciones con el exterior y sus disposiciones de desarrollo. Igualmente, la condición de residentes o no residentes se acreditará en la forma establecida en el artículo 2 del citado RD 1816/1991.

Las operaciones comerciales y financieras de exterior no son técnicamente distintas a las de interior, sólo presentan la complejidad añadida de que las partes de la transacción operan desde diferentes países y suele haber un gran grado de intervención administrativa, a pesar del reciente proceso liberalizador. Esto último se hace con dos fines fundamentales: posibilitar el conocimiento administrativo, estadístico o económico de tales operaciones, y admitir la adopción de medidas justificadas por razones de orden público y seguridad pública.

Igualmente, los inversores extranjeros remitirán a la Dirección General de Política Comercial e Inversiones Exteriores las comunicaciones a que se refiere el Real Decreto 377/1991 de 15 de marzo, sobre comunicaciones de participaciones significativas en sociedades y de adquisición por estas de acciones propias.

El control de cambios es el conjunto de normas emanadas del Estado con el objeto de regular y ordenar los actos, negocios, transacciones y operaciones de toda índole entre residentes y no residentes, que supongan, o de cuyo cumplimiento se deriven, cobros o pagos exteriores.

La normativa sobre el control de cambios aparece más que como necesidad de regular determinados derechos y deberes, como instrumento de política económica en manos del Estado para hacer frente a la progresiva internacionalización de su economía.

La Orden EHA/1439/2006 de 3 de mayo, reguladora de la declaración de movimientos de medios de pago en el ámbito de la prevención del blanqueo de capitales, eleva las cuantías sujetas a declaración en 10.000 euros para la entrada y salida por frontera y en 100.000 euros para los movimientos por territorio nacional.

La ley 10/2010 de 28 de abril de prevención de blanqueo de capitales, es la que regula el blanqueo de capital y deroga a la Ley 19/1993 de 28 de diciembre. No obstante, serán de aplicación las disposiciones sancionadoras de la Ley 19/1993 a los hechos cometidos con anterioridad a la entrada en vigor de la presente Ley.

Transpone a:

Directiva 2005/60/CE del Parlamento Europeo y del Consejo, de 26 de octubre de 2005, relativa a la prevención de la utilización del sistema financiero para el blanqueo de capitales y para la financiación del terrorismo, desarrollada por la Directiva 2006/70/CE de la Comisión, de 1 de agosto de 2006 del Parlamento Europeo.

También son de destacar dos disposiciones normativas en relación con la prevención del blanqueo de capitales, como:

✓ **Resolución de 10 de septiembre de 2008, de la Dirección General del Tesoro y política financiera, por la que se publica el acuerdo de 14 de julio de 2008, de la Comisión de Prevención del Blanqueo de Capitales e Infracciones Monetarias, por el que se determinan las jurisdicciones que establecen requisitos equivalentes a los de la legislación española de prevención de blanqueo de capitales.**

✓ **Orden EHA/114/2008, de 29 de enero, reguladora del cumplimiento de determinadas obligaciones de los notarios en el ámbito de la prevención del blanqueo de capitales.**

✓ **Orden EHA/2444/2007, de 31 de julio, por la que se desarrolla el Reglamento de la Ley 19/1993, de 28 de diciembre, sobre determinadas medidas de prevención de blanqueo de capitales, aprobado por el Real Decreto 925/1995, de 9 de junio, en relación con el informe externo sobre los procedimientos y órganos de control interno y comunicación establecidos para prevenir el blanqueo de capitales.**

✓ **Orden EHA/2619/2006, de 28 de julio, por la que se desarrollan determinadas obligaciones de prevención del blanqueo de capitales de los sujetos obligados que realicen actividad de cambio de moneda o gestión de transferencias con el exterior.**

✓ **Orden EHA/2963/2005, de 20 de septiembre, reguladora del órgano centralizado de prevención en materia de blanqueo de capitales en el Consejo General del Notariado.**

✓ **Orden ECO/2652/2002, de 24 de octubre, por la que se desarrollan las obligaciones de comunicación de operaciones en relación con**

determinados países al Servicio Ejecutivo de la Comisión de Prevención del Blanqueo de Capitales e Infracciones Monetarias

Desde el punto de vista penal, el delito se encuentra tipificado en los artículos 301 y ss. del vigente Código Penal aprobado por Ley Orgánica 10/1995 de 23 de noviembre, modificado por la Ley Orgánica 15/2003 de 25 de diciembre. La tipificación penal viene en el Título III: Delitos contra el patrimonio y contra el orden socioeconómico; Capítulo XIV: De la receptación y otras conductas afines. El código no llama "al delito por su nombre". La expresión "blanqueo" no se utiliza en el código.

La líneas fundamentales que han inspirado al legislador en este tipo en el vigente código penal son, en síntesis, las siguientes:

A. El bien jurídico protegido no es otro que el orden socioeconómico.
B. Se amplía el tipo para incluir cualquier conducta de blanqueo de bienes que tenga su origen en un delito grave.
C. Se mantiene la figura imprudente.
D. La sujeción de tales conductas al principio de universalidad en su persecución y castigo.

El sometimiento de estos delitos al principio de justicia universal está justificado si tenemos en cuenta el carácter transnacional de esta delincuencia, la existencia de zonas o espacios en los que gozan de la más absoluta impunidad (paraísos fiscales), y el hecho comprobado de que el blanqueo no es sino una parte de la actividad delictiva global de estas organizaciones criminales cuya persecución y castigo es vital para limitar su crecimiento y potenciación.

Este apartado está al amparo del artículo:

▪ Arts. 23.2, 3 y 4 de la Ley Orgánica 6/1985, de 1 de julio, del Poder Judicial.
▪ Art. 4 de la Convención de Viena (20.12.88) contra el tráfico ilícito de estupefacientes y sustancias psicotrópicas.
▪ Artículo 1 Directiva 91/308/CEE del Consejo, relativa a la prevención de la utilización del sistema financiero para el blanqueo de capitales (modificada por la Directiva 2001 del Parlamento Europeo y del Consejo).
▪ Artículo 1.2 de la Ley 19/1993, de 28 de diciembre, sobre determinadas medidas de prevención del blanqueo de capitales (normativa interna española).

El delito de blanqueo de capital es un delito muy difícil de demostrar y en muchas ocasiones es prácticamente imposible, por lo que la mayoría de las ocasiones se basan en indicios y no en pruebas directas.

El blanqueo o lavado de dinero es un término utilizado para describir un número inagotable de técnicas, procedimientos o procesos por los cuales, fondos obtenidos, tanto por actividades ilícitas o delictivas (dinero sucio), como de fuentes legales para eludir la imposición tributaria (dinero negro), se convierten en otros bienes, de forma tal que oculten su verdadera procedencia, origen de propiedad o cualquiera otros factores que evidencien una irregularidad.

El XI Congreso de las Naciones Unidas sobre Prevención de Delito y Justicia Penal, celebrado los días 18 y 25 de abril de 2005, en Bangkok (Tailandia), señaló en referencia al blanqueo de dinero que daña la integridad de sus Instituciones Financieras, distorsiona los mercados financieros y obstaculiza la inversión directa extranjera.

El término *Tax haven* ha sido incorporado incorrectamente a nuestro idioma al traducirlo como *paraíso fiscal*, cuando el verdadero significado de *haven* es el de refugio, abrigo, puerto, lo cual elimina la connotación negativa que se ha implantado con la indicada traducción. Por nuestra parte, utilizaremos tanto el término paraíso como el de refugio fiscal.

Técnicamente, son países que mantienen una postura rigurosa de defensa y salvaguarda de un secreto bancario, y en los que es imposible obtener informaciones financieras de una investigación realizada en el extranjero.

En una primera aproximación al estudio de los paraísos fiscales, se ha de reparar en el hecho de que los países que podríamos calificar como tales refugios no se encuentran incluidos, en general, dentro de la amplia red de convenios internacionales para evitar la doble imposición, lo cual es esencial para una correcta planificación fiscal internacional (esta regla tiene ciertas excepciones).

La rentabilidad que ofrecen es normalmente superior al 14% libre de impuestos, difícil de conseguir mediante un depósito en entidades financieras de la Unión Europea.

Ahora bien, el atractivo de los paraísos fiscales es otro. Siguiendo al profesor Emilio Albi, un refugio o paraíso fiscal es un lugar donde protegerse de los impuestos. A tenor de la clasificación que ofrece el mencionado profesor, se trata, en definitiva, de países donde:

- No existe imposición sobre la renta para financiar la actividad pública o donde se ofrecen amplias exenciones fiscales en este tipo de tributación. Ejemplos de países con estas características son: Andorra, Bermudas, Islas Caimán y Mónaco.
- Se grava la renta exclusivamente de acuerdo con el principio de origen o de la fuente de la renta, esto es, sólo se grava la renta que se origina en el territorio, y no la renta internacional obtenida fuera del país, aunque se repatríe. Ejemplos de esta situación son: Costa Rica, Irlanda para las sociedades no residentes, Hong Kong, Panamá y Uruguay.
- Además de ser una zona con tributación baja sobre la renta, se cuenta con protección de determinados beneficios de los tratados de doble imposición. En estos casos se encuentran: Antillas Holandesas, Chipre, Isla de Jersey, Isla de Guernsey, Islas de Man y Madeira.
- Existe una tributación baja para los rendimientos financieros, las sociedades *Holding* o para ambos casos. Son ejemplos: Antillas Holandesas, Bélgica, Chipre, Gibraltar, Holanda, Islas del Canal de Man, Liechtenstein, Luxemburgo, Madeira y Suiza.

Como puede comprobarse en los ejemplos expuestos anteriormente, son numerosos los territorios que pueden ser calificados como de paraísos fiscales, de modo que la normativa tributaria de cada uno de ellos variará no sólo en función de lo que los respectivos gobiernos puedan decidir en cada momento, sino también a tenor de las características y singularidades del sistema fiscal en que se hallen insertos.

La existencia de estos paraísos fiscales se explica por razones obvias y siempre conectadas a dos cuestiones que no conviene perder de vista:

- Por un lado, el afán que tiene todo ciudadano de planificar libremente el pago de sus impuestos.
- Y, por otro, a la política fiscal de los Estados modernos, que siempre van a permitir la entrada indiscriminada de capital extranjero, dentro de sus fronteras, de las grandes empresas multinacionales.

Pero para que sepamos de lo que estamos hablando vamos a dar un dato:

Las Islas Caimán, descubiertas en 1503 por Cristóbal Colón y hoy territorio dependiente del Reino Unido, se consideran el paraíso fiscal mejor del mundo, el edén más seguro y rentable de la banca extraterritorial.

46 de los 50 bancos más grandes del mundo —y aquí van incluidos muchos españoles— operan en las Islas Caimán. Se calcula que estas islas atesoraban, en el año 2001, 600.000 millones de euros (el doble del PIB español) en depósitos de todo el planeta.

Evidentemente, esta política fiscal deriva en una rivalidad entre los Estados, que se intenta mantener bajo control a través de una amplia red de tratados internacionales, independientemente de que cada país adopte en su marco interno las medidas que considere oportunas para regular determinadas operaciones internacionales y penalizar a aquellos paraísos fiscales que no respeten el estatus aceptado por el resto de la Comunidad Internacional.

No obstante, y antes de introducirnos en el análisis indicado, hay que advertir que una correcta planificación fiscal no sólo ha de estar orientada al conocimiento del sistema fiscal existente en cada país, sino de otras numerosas circunstancias, tan importantes como ésta, y que son:

- La estabilidad política y económica del país y de su moneda.
- La existencia o carencia del régimen legal del control de cambios.
- Los servicios bancarios y profesionales existentes (con especial conocimiento de la implantación del secreto bancario).
- La existencia o carencia de retenciones.
- La normativa jurídico-mercantil vigente.
- Los acuerdos de intercambio de información existentes entre el gobierno del paraíso fiscal y los demás estados.
- Las posibilidades de establecer contactos con las autoridades del territorio y de obtener consultas vinculantes.
- La existencia de convenios internacionales de doble imposición.
- La implantación de un sistema *anti-treaty shopping*, esto es: sistemas contrarios a la utilización de un tratado fiscal por personas que no tengan derecho estricto al mismo, es decir, que en condiciones normales esa persona no queda amparada por el convenio.
- Y, por último, la imagen de responsabilidad internacional del territorio o país.

La utilización de paraísos fiscales en el marco del blanqueo de capitales de procedencia delictiva se produce por razones obvias, ya que su principal problema es introducir en los circuitos mercantiles o financieros mundiales las grandes sumas de dinero que atesoran a partir de sus ilícitas actividades. Los paraísos fiscales, además de garantizar los secretos bancarios y profesionales, permiten la constitución y funcionamiento de una serie de sociedades mercantiles que pueden ser usadas en operaciones de blanqueo.

España publicó el Real Decreto 1.080/1991 de 5 de julio, que determina los países y territorios que para el fisco español tienen la consideración de paraísos fiscales a efecto de lo dispuesto tanto en la ley del Impuesto sobre la Renta de las Personas Físicas como en las Sociedades. La lista de paraísos fiscales está sujeta a las modificaciones que dicten la práctica, el cambio de circunstancias económicas o la experiencia de relaciones internacionales, y por ello, una disposición adicional autoriza al Ministro de Economía y Hacienda a introducir en la relación las modificaciones que aconsejen los cambios en la legislación fiscal de los diferentes países y territorio. A la espera de que un breve plazo se produzca alguna modificaciones, la relación de países y territorios calificados de paraíso fiscal es la siguiente:

EUROPA	AMÉRICA	ASIA	ÁFRICA
Andorra	Antillas holandesas	Bahréin	Mauricio
Gibraltar	Aruba	Brunei	Liberia
Islas Guernsey	Anguilla	Chipre	Seychelles
Malta	Antigua y Barbuda	Jordania	Libia
Isla de Man	Las Bahamas	Líbano	
Liechtenstein	Barbados	Hong Kong	
Luxemburgo	Islas Caimán	Emiratos Árabes	
Mónaco	República Dominicana	Macao	
San Marino	Granada	Omán	
Suiza	Jamaica	Singapur	
	Islas Malvinas	Kuwait	
	Montserrat	Irán e Irak	
	San Vicente y las Granadinas		
	Santa Lucía		
	Islas Turcas y Caicos		
	Panamá		

OCEANÍA
Islas Cook
Islas Fidji
Islas Marianas
Nauru
Islas Salomón
Vanuatu
Islas Vírgenes británicas
Islas Vírgenes americanas

Mediante los convenios para evitar la doble imposición, no sólo se trata de evitar la duplicidad impositiva, sino que, con gran frecuencia, se persiguen objetivos más ambiciosos, que van desde la armonización de las propias estructuras fiscales (especialmente en el ámbito de la imposición directa) hasta el establecimiento de fórmulas de cooperación administrativa entre Estado (procedimientos de consulta y asistencia administrativa, intercambios de información, etc.) pasando por mecanismos de defensa del contribuyente (procedimiento amistoso).

En definitiva, los convenios de doble imposición internacional tratan de prever un fenómeno que se reproduce cada vez con mayor insistencia y que, a su vez, se concreta, esencialmente, en una de las situaciones siguientes:

▪ Dos Estados gravan a una misma persona, por su renta y patrimonio totales.
▪ Dos Estados gravan a una misma persona, no residente en ninguno de los dos, por las rentas o patrimonio que poseen en uno de ellos.
▪ Una persona, residente en un Estado, obtiene rentas o posee bienes patrimoniales en otro Estado, y los dos Estados aspiran a gravar tales rentas o bienes patrimoniales.

En cualquier caso, la mayoría de los convenios suscritos por España han tenido como referencia los modelos elaborados por la OCDE. Las pautas generales establecidas en los convenios de la OCDE, en síntesis, las exponemos seguidamente:

1. El convenio se aplica a los residentes.
2. Pueden gravarse, sin limitación, en el Estado donde se hallen situadas las fuentes de rentas.

3. También en el Estado donde radique la fuente de renta pueden gravarse las rentas obtenidas, pero de forma limitada: es el caso de los dividendos y los intereses.

4. Las restantes categorías de renta o patrimonio no pueden gravarse en el Estado de la fuente o situación, sino que se gravarán en el Estado en que tenga su residencia el contribuyente.

Cuando un contribuyente, residente de un Estado contratante, percibe rendimientos de fuentes situadas en el otro Estado contratante o posee en él elementos patrimoniales que, de acuerdo con el Convenio, sólo pueden someterse a imposición en el Estado de residencia, no se suscita problema de doble imposición, toda vez que el Estado de la fuente o de situación debe conceder la exención.

Si, por el contrario, de acuerdo con el Convenio, las rentas o elementos patrimoniales pueden ser gravados de forma ilimitada o limitada en este otro Estado, el Estado de la residencia puede elegir uno de los dos sistemas siguientes para eliminar la doble imposición:

❖ Sistema de exención: íntegra y progresiva.
❖ Sistema de imputación: ordinaria o limitada e íntegra.

En la actualidad tenemos suscritos convenios de doble imposición sobre la Renta y el Patrimonio con los siguientes países:

o Alemania (BOE de 29 de diciembre de 1968)
o Argentina (BOE de 9 de septiembre de 1994)
o Australia (BOE de 29 de diciembre de 1992)
o Austria (BOE de 6 de enero de 1968)
o Bélgica (BOE de 27 de octubre de 1972)
o Brasil (BOE de 31 de diciembre de 1975)
o Bulgaria (BOE de 12 de julio de 1991)
o Canadá (BOE de 6 de febrero de 1981)
o Corea (BOE de 15 de diciembre de 1994)
o Checoslovaquia (BOE de 14 de julio de 1981)
o China (BOE de 25 de junio de 1992)
o Dinamarca (BOE de 28 de enero de 1974)
o Ecuador (BOE de 5 de mayo de 1993)
o Estados Unidos de América (BOE de 22 de diciembre 1990)

- o Finlandia (BOE de 11 de diciembre de1968)
- o Francia (BOE de mayo de 1975)
- o Hungría (BOE de 24 de noviembre de 1987)
- o India (BOE de 7 de febrero de 1995)
- o Italia (BOE de 22 de diciembre de 1980)
- o Japón (BOE de 2 de diciembre de 1974)
- o Luxemburgo (BOE de 4 de agosto de 1987)
- o Marruecos (BOE de 22 de mayo de 1985)
- o Noruega (BOE de 17 de julio y 3 de diciembre de 1964)
- o Países bajos (BOE de 16 de octubre de 1972)
- o Polonia (BOE de 15 de junio de 1982)
- o Portugal (BOE de 7 de noviembre de1995)
- o Reino Unido (BOE de 18 de noviembre y 15 de diciembre de 1976)
- o Rumania (BOE de 2 de octubre de 1980)
- o Suecia (BOE de 22 de enero de 1977)
- o Suiza (BOE de 3 de marzo y 3 de abril de 1967)
- o Túnez (BOE de 3 de marzo de 1987)
- o URSS (BOE de 22 de septiembre de 1986)

Además de estos convenios de doble imposición internacional en materia de renta y patrimonio, España tiene firmados convenios de doble imposición en materia de impuestos sobre las herencias con los siguientes países.

- o Francia (BOE de 7 de enero de 1964)
- o Grecia (BOE de 3 de diciembre de 1920)
- o Suecia (BOE de 16 de enero de 1964)

La mayoría de los Convenios anteriores suscritos por España tratan de evitar la Doble Imposición y prevenir la Evasión Fiscal en materia de Impuestos sobre la Renta y el Patrimonio.

Capítulo 12

La directiva 91/308/CEE contra la prevención del blanqueo de capitales

Los notarios y los profesionales independientes del ámbito jurídico deben estar sujetos a lo dispuesto en la Directiva cuando participen en operaciones financieras y empresariales, incluido el asesoramiento fiscal, en las que exista el riesgo de que sus servicios se empleen indebidamente a fin de blanquear el producto de actividades delictivas.

Así pues, el asesoramiento jurídico está sujeto a la obligación del secreto profesional, salvo en caso de que:

- El asesor letrado esté implicado en actividades de blanqueo de capitales.
- El abogado sepa que el cliente busca el asesoramiento jurídico para el blanqueo de capitales.

Es de resaltar que la Directiva 2001/97/CE autoriza en su artículo 6.3 a los Estados miembros a designar a los Colegios de Abogados como los organismos a los que dichos profesionales deben notificar las operaciones sospechosas de blanqueo de capitales. Aunque esta posibilidad no ha sido recogida de momento en la normativa española sobre prevención del blanqueo de capitales.

También es de destacar la Ley 36/2006 de 29 de noviembre, de medidas para la prevención del Fraude Fiscal, resaltando la obligatoriedad de la consignación del NIF y de los medios de pago empleados en las escrituras notariales relativas a actos y contratos sobre bienes inmuebles. La efectividad de estas prescripciones queda garantizada para la inscripción en el Registro de la Propiedad de tales escrituras.

Hay que recordar que los impuestos no son contribuciones voluntarias, sino exigencias pecuniarias impuestas por la normativa vigente en cada Estado. Partiendo de esta idea, se llega a una conclusión: nadie nos puede exigir más de lo que la ley, en cada momento, establece.

Si a este punto unimos otra idea, la de que la propia normativa nos concede, en una gran mayoría de casos, la posibilidad de optar por dos o más formas de tributación dentro de la legalidad interna de cada país, es evidente que se llega a una conclusión: teniendo en cuenta la internacionalización de la economía y de las relaciones transnacionales, es perfectamente lícito el que un determinado contribuyente (persona física o jurídica) prevea las estrategias necesarias para satisfacer sus impuestos al mínimo coste posible.

Capítulo 13

Blanqueo de capital: Modus Operandi

La Instrucción (recordemos que las Circulares e Instrucciones solo tienen efectos internos dentro de las Administraciónes Públicas su eficacia exterior y de sus efectos normativos se niegan por la Doctrina. En cuanto a la posibilidad de su impugnación, y aun cuando en sí mismas no se puedan impugnar al tratarse de meras normas dirigidas a los funcionarios y obligatorias sólo para ellos, la Jurisprudencia del Tribunal Supremo considera que sí se pueden impugnar los actos administrativos dictados en aplicación de la Circular o Instrucción que se considere ilegal) número 2/2008 de la Fiscalía General del Estado exhorta a los Fiscales a participar activamente en la fase de investigación de los procedimientos, aprovechando todos los mecanismos que el legislador ha puesto a disposición de la Fiscalía General del Estado para dinamizar la tramitación procesal a través del impulso de las actuaciones necesarias para la averiguación de los hechos ilícitos y sus autores, asegurando, al tiempo, la defensa de los derechos e intereses de los perjudicados por la acción criminal. Y lo mismo se pretendió con la elaboración de la Instrucción número 1/2008 de la Fiscalía General del Estado.

El proyecto de Ley de Reforma del Código Penal de 2009 aprobado por el Consejo de Ministros el pasado 13 de noviembre regula por primera vez la responsabilidad penal de las empresas. Como consecuencia, aquellas que delincan serán multadas, inhabilitadas o incluso disueltas. El texto aprobado establece una regulación pormenorizada y muy precisa para asegurar que se impute a las personas jurídicas por aquellos delitos cometidos en su nombre o por su cuenta, y por los que cometan en su provecho las personas que tienen poder de representación. La reforma regula la obligación de las empresas de ejercer el debido control sobre los que ostentan dicho poder de representación. Las penas que se podrán imponer a las empresas van desde las multas hasta la inhabilitación para obtener subvenciones o ayudas públicas, para contratar con las Administraciones Públicas y para gozar de beneficios e incentivos fiscales o de la Seguridad Social. Además, hay que señalar que la responsabilidad penal de la persona jurídica podrá declararse con independencia de que exista o no responsabilidad penal de la persona física.

Algunos métodos de blanqueo de capital, sin querer ser exhaustivo, podrían ser los siguientes:

❑   A través de casinos de juego

Este sistema es muy conocido. Se aprovecha la circunstancia de no existir un control por parte de los casinos del número de fichas adquiridas y de las realmente jugadas. El procedimiento se articula de la siguiente forma:

1) Compra de fichas de juego en un casino por un determinado importe.
2) No utilizar las fichas en el juego o usar muy pocas de ellas.
3) Cambiar las fichas no utilizadas por dinero en efectivo, exigiendo un recibo por medio del cual se acredita el cambio y su importe.

El engaño consiste en que se presupone que se ha entrado en el casino con una cantidad pequeña y las fichas cambiadas son los beneficios obtenidos. Este dinero aparentemente es dinero limpio que se ha conseguido en un juego legal.

En algunos países donde existe la libertad de poner un casino, circunstancia que no se da en España, se utilizan los casinos de juego para blanquear y reciclar el dinero que tiene su origen en una actividad delictiva.

Bingos en España en 2007

Evolución de salas de bingo en España (1995-2007)

Salas de bingo: 414
Cantidad jugada en bingos (equivale al importe de los cartones vendidos): 3.729.810.000 euros
Valor medio de las cantidades jugadas por habitante en bingos: 83'42 euros
Gasto real en bingos: 1.389.354.200 euros
Valor medio gasto real por habitante en bingos: 31'08 euros

Importe de cartones vendidos: 3.729.810.000 euros
* La media ponderada utilizada para el cálculo de la tasa de juego es de 22'92 % porque no todas las comunidades autónomas tienen la misma cuota. Por ejemplo, Catalunya (28 %), Cantabria (27 %) y Baleares (31 %). La cantidad estimada de aplicar el 22'92 % es de 854'87 millones de euros
* Otras cargas o recargos fiscales (1'16 %): 43'26 millones de euros
* Empresas: 495'31 millones de euros
La referencia media aplicada es del 13'28 % porque los márgenes empresariales no son iguales en toda España
* Gasto del jugador (37'36 %): 1.393'45 millones de euros
Es utilizada la media del 37'36 % derivada de la tasa fiscal y recargos autonómicos
* Devolución en premios (62'74 %): 2.340'08 millones de euros

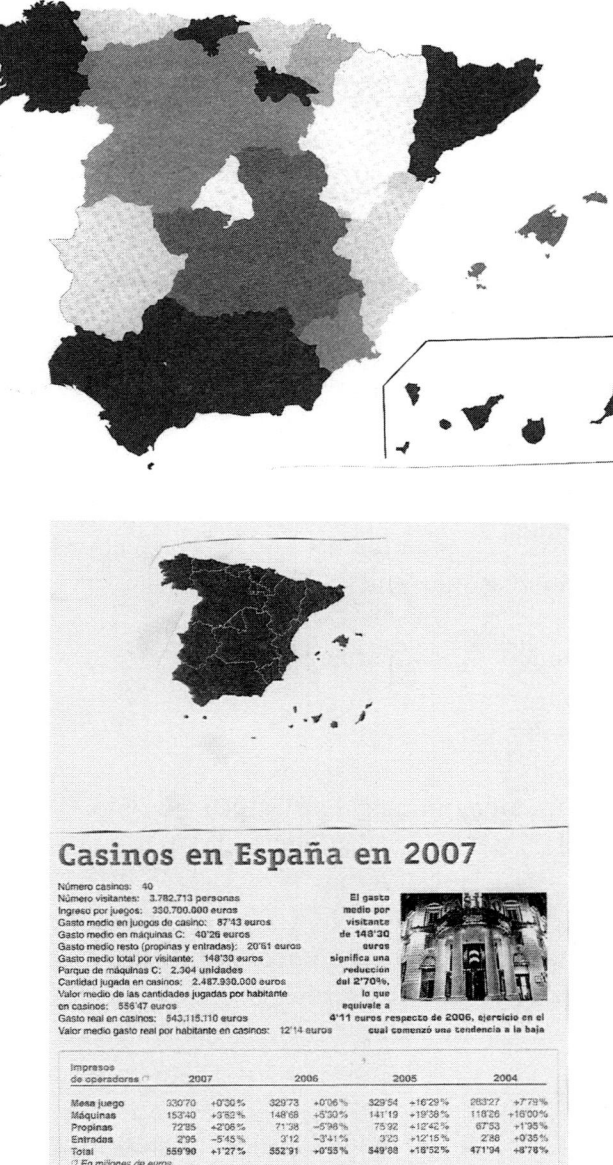

□ Operaciones triangulares

Son aquellas en la que un residente español compra mercancía en un país extranjero y la vende en otro país, también extranjero, pero sin que la mercancía entre en el territorio español.

Las operaciones triangulares tienen una gran importancia en el mercado intracomunitario, constituyéndose en operaciones en las que coinciden proveedor, cliente y uno o más intermediarios.

Ejemplo: supongamos un empresario italiano «I», identificado a efectos del IVA en Italia, que adquiere bienes a un empresario francés, estando dichos bienes en París. El empresario «I», a su vez, vende los bienes a un empresario español establecido en Madrid, siendo los bienes enviados directamente de París a Madrid, al almacén del empresario español.

❑   Blanqueo en el Sector Inmobiliario

❖   Clasificación de los bienes inmuebles.

El Real Decreto Legislativo 2/2004 de 5 de marzo, por el que se aprueba el Texto Refundido de la Ley reguladora de las Haciendas Locales, determina que los bienes inmuebles pueden clasificarse en:

▪   Bienes inmuebles de naturaleza urbana:

➢   El suelo

El suelo de naturaleza urbana lo clasifica no sólo la referida ley, sino también la propia Ley del Suelo, distinguiendo los siguientes:

a) Urbano: son los terrenos incluidos en el Plan General de Ordenación Urbana (PGOU), que cuentan con un acceso rodado, agua, alcantarillado y suministro de energía eléctrica, es decir, que tienen una infraestructura por la edificación, que están comprendidos en áreas consolidadas por la edificación, al menos en dos terceras partes de su superficie, en la forma que determine el propio PGOU.

b) Urbanizable: los que el PGOU declara expresamente para ser urbanizados:

- Programados: lo constituyen aquellos terrenos que deben ser urbanizados con destino determinado en un plazo de tiempo que también define el plan y su coste urbanístico.
- No programados: serán aquellos otros que pueden ser urbanizados, mediante la aprobación de un programa de Actuación Urbanística (PAU).

➢ Solares

Se denomina así a los terrenos que ya tienen una urbanización de acuerdo a las normas del plan y señaladas las alineaciones y rasantes.

Cuando no existe un Plan, se precisa que, además de contar con los servicios requeridos de urbanización, tengan pavimentada la calzada y encintado en las aceras en la vía pública a la que la parcela tiene su frente o fachada.

➢ Edificaciones de naturaleza urbana

Se considera, en general, edificios a los construidos con cualquier clase de materiales y el lugar en que se hallen emplazados, dentro del casco urbano.

Se comprende tanto a los edificios únicos o exclusivos y a los de multiuso, tanto unifamiliares o bloques de viviendas en propiedad horizontal, o los mixtos de vivienda, comercial, industrial o de cualquier tipo de explotación.

También se incluyen los que pudieran ser desmontables y transportables, los diques, tanques o cargaderos, siempre que hayan sido levantados sobre el suelo y se destinen a un uso.

Como edificios se computan las obras de urbanización y mejora, como las explanaciones y las que realicen para el uso de espacios descubiertos, tales como recintos deportivos, mercados, ferias, instalaciones de campos deportivos, muelles, estacionamientos y espacios anejos a las construcciones.

▪ Bienes inmuebles de naturaleza rústica:

➢ El suelo no urbanizable

Es aquel al que el PGOU no asigna un destino urbano, es, en general, el suelo rústico.

También se incluyen los espacios destinados por el Plan como zonas verdes o de protección.

➢   Edificios de naturaleza rústica

Se considera así a las edificaciones realizadas con cualquier material o las instalaciones de carácter agrario que se encuentran en un suelo de naturaleza rústica y que están destinadas para el desarrollo de las explotaciones agrícolas, ganaderas o forestales.

❖   Concepto económico de valor

"El valor es la expresión cuantitativa de un bien inmueble en función de sus cualidades intrínsecas o extrínsecas en el tiempo presente".

Se entiende por expresión cuantitativa el valor que apreciamos que tiene ese bien expresado en valores de intercambio (valor subjetivo).

Cualidades intrínsecas son las características técnicas, constructivas, superficie, antigüedad, estado de conservación, orientación, etc. Todas las cualidades que dan lugar al hecho físico y concreto de ese bien.

Cualidades extrínsecas son las características que rodean el inmueble: urbanización, ubicación, grado de consolidación de la zona, aprecio de la misma, comunicaciones, equipamientos, etc.

El tiempo presente se considerará en función de dos parámetros: de la relatividad del sujeto que realiza la valoración y del grado de actividad que tenga el mercado en el momento de efectuarlo.

Así, un primer concepto que nos aparece es el de valor de intercambio.

El valor "es el grado de aprecio que tenemos de un bien o servicio, en atención a su aptitud para satisfacer necesidades", o sea, el valor es la capacidad de un bien para aportar utilidad.

Esto da idea de la subjetividad del valor, al proporcionar un mismo bien cuantías de utilidad diferentes, según los sujetos que lo disfrutan y sus circunstancias particulares. Así pues, el valor es el grado de aprecio por un bien o servicio y es una dimensión puramente subjetiva.

Sabemos que el valor del dinero se mide en función de dos variables: "cuantía" y "tiempo" en que se percibe o se entrega.

Siguiendo con la concepción de valor descrita anteriormente, el dinero tiene un valor objetivo, debido a la utilidad que su uso reporta, al cambiarlo por bienes o servicios. Tal utilidad está en función del tiempo durante el que se disfruta.

Podríamos decir que se trata de un "alquiler" que reporta un nuevo ingrediente de utilidad. Cuando nos hacen un crédito, nos cobran un interés en función del tiempo. Estamos comprobando la utilidad que nos reporta el factor tiempo.

En este sentido, es evidente que un precio "vale menos", tiene menor utilidad, a medida que es percibido más tarde. Por el contrario, para el pagador, tiene "mayor utilidad" a medida que se demore el pago, puesto que tal demora es tiempo de utilización gratuita para él, está obteniendo la utilidad derivada del tiempo.

Puesto que el precio de un bien lo fijamos en términos de dinero pagadero en un tiempo determinado, se podrá variar aquel variando cualquiera de las dos cosas: "cantidad o tiempo de pago". Es decir, podemos bajar un precio pidiendo menos euros o cobrando más tarde. Por tanto, el problema se centra en buscar el equilibrio entre ambas variables.

Por ello, en cada caso, hemos de analizar nuestro interés junto con el de nuestro vendedor o comprador, para poder acomodar un nuevo equilibrio entre ambos intereses que nos resulta favorable.

Vemos cómo se valora cada uno de los factores de utilidad, cuantía y tiempo. Tal vez el comprador de una vivienda valore poco el factor "dinero" y mucho el factor "tiempo", en la medida en que este le condicione el que pueda llegar o no a conseguirla. El poder acomodar sus pagos a sus ingresos le reporta una utilidad grande, por lo que estará dispuesto a pagar un alto precio (interés) por el aplazamiento, y le interesa, de forma muy relativa, conocer el precio de contado.

Tal vez el cliente de un solar piense de distinta manera, valorando la utilidad del factor tiempo, en función del coste que para él tiene el dinero, o de las alternativas de inversión que tenga. Le interesará mucho el precio de contado, porque pretende así aislar el valor del tiempo.

❖ Modus operandi

El procedimiento utilizado para blanquear dinero en el sector inmobiliario es, grosso modo, el siguiente:

1) Obtención de fondos procedentes de actividades ilícitas.
2) Adquisición de inmuebles a precio de mercado. El comprador y el vendedor acuerdan hacer figurar en el contrato de compraventa privado solamente una parte del precio real. La diferencia entre el precio real y el que figura en el contrato será el dinero lavado.
3) En la escritura pública de compraventa también se hace constar el precio que figura en el contrato.
4) Se liquidan los tributos que derivan de las transmisión, de acuerdo con el precio que figura en el contrato y en la escritura.

Estas entidades elaboran una doble contabilidad: la oficial, que aparentemente refleja la actividad del negocio bajo el que se encubren, y la real, que suele ser cifrada.

Por lo que supone de clarificador en este punto, es de visualización obligatoria la Circular de 16 de diciembre de 1986 de la Dirección General de Inspección Financiera y Tributaria, de cómo interpreta la Administración Tributaria el delito contable (artículo 310 Código Penal).

Según ha explicado en variadas intervenciones D. Luis Pedroche, Director de la Agencia Estatal de la Administración Tributaria (AEAT), la Seguridad Social y la Propia Agencia Tributaria han elaborado un programa conjunto consistente en el intercambio y cruce de información, cuyo principal objetivo es luchar contra la economía sumergida.

Aunque no hay datos que permitan cuantificar la economía sumergida ni a nivel nacional ni a nivel europeo, Pedroche aseguró que los cruces de información con la Seguridad Social serán útiles, ya que permitirán identificar prácticas fraudulentas en los puestos de trabajo. Concretamente, el sector inmobiliario es una de las prioridades de la lucha contra el fraude, como lo demuestra el hecho de que actualmente (2008-2009) se están investigando alrededor de 82.000 promociones inmobiliarias para garantizar la ausencia de fraude en este sector. Respecto al delito fiscal, el director de la Agencia Tributaria señaló la necesidad de modificar la regulación existente, ya que tal y como está diseñado el sistema actualmente, la sanción que se paga por la vía Penal puede ser inferior a la sanción Administrativa.

Generalmente, los impuestos por la compraventa de la vivienda, para saber el importe del fraude, son:

VIVIENDA NUEVA:

IVA: 8% del Importe de la vivienda (en Canarias, al 4,5 % en concepto de IGIC).
AJD: 1% (por la escritura de compraventa).

VIVIENDA USADA:

ITP: 6% del importe de la vivienda (el 7% en algunas comunidades autónomas).
AJD: 1% (por la escritura de compraventa).

TIPOS IMPOSITIVOS DEL IVA EN EUROPA

El Art. 79 del proyecto de Ley de Presupuestos Generales del Estado para 2010 establece que a partir del 1 de julio de 2010 –con vigencia indefinida– dos de los tipos impositivos del IVA se incrementarán: El general pasará del 16% al 18%; y el reducido, del 7% al 8%. ¿Cuál es la situación en el resto de los Estados miembros de la UE?

ESTADO MIEMBRO	TIPO GENERAL	TIPO/S REDUCIDO/S
Alemania	19%	7%
Austria	20%	10%
Bélgica	21%	6% – 12%
Bulgaria	20%	7%
Chipre	15%	5% – 8%
Dinamarca	25%	
Eslovaquia	19%	10%
Eslovenia	20%	8,5%
España	16%	4% – 7%
Estonia	20%	9%
Finlandia	22%	8% – 17%
Francia	19,60%	2,10% – 5,50%
Grecia	19%	4,5% – 9%
Hungría	25%	5% – 18%
Irlanda	21,50%	4,8% – 13,50%
Italia	20%	4% – 10%
Letonia	21%	10%
Lituania	21%	
Luxemburgo	15%	3% – 6% – 9% – 12%
Malta	18%	5%
Países Bajos	19%	6%
Polonia	22%	3% – 7%
Portugal	20%	5% – 12%
Reino Unido	15%	5%
República Checa	19%	9%
Rumanía	19%	9%
Suecia	25%	6% – 12%

algunas curiosidades

- Aunque la Comisión Europea propuso introducir una banda de tipos comprendidos entre un mínimo del 15% y un máximo del 25%, el Consejo rechazó esa propuesta y no mantuvo más que el porcentaje mínimo del 15 %.

- Así se establece en la **Sexta Directiva** [1] que aproximó los tipos del IVA de los países comunitarios, estableciendo unos límites de aproximación que deben respetar los Estados miembros.

- **Dinamarca** y **Lituania** sólo aplican un único tipo impositivo del 25%.

- Entre el 1 de enero de 2008 y el 31 de diciembre de 2009, el **Reino Unido** ha reducido –temporalmente– su tipo general del 17,50% al 15%.

- Al igual que España, **Finlandia** subirá su tipo general del 22% al 23% a partir de julio de 2010. **Estonia**, hizo lo mismo el pasado 1 de julio, cuando elevó su tipo general del 18% al 20% y, finalmente, el Gobierno de la **República Checa** tiene previsto incrementarlo del 19% al 20%.

- **Hungría, Dinamarca y Suecia** tienen los tipos generales más elevados (al 25%) y **Luxemburgo y Chipre** los más bajos (el mínimo establecido por la normativa comunitaria: el 15%).

- En 2008, **Portugal** rebajó el IVA del 21% al 20%, tras reducir su déficit fiscal.

[1] Sexta Directiva 77/388/CEE del Consejo, de 17 de mayo de 1977, en materia de armonización de las legislaciones de los Estados Miembros relativas a los impuestos sobre el volumen de negocios - Sistema común del Impuesto sobre el Valor Añadido: base imponible uniforme.

❏   Declaración de beneficios superiores a los realmente obtenidos de negocios en España:

Constituiremos una empresa que realice ventas directas en efectivo y, por lo mismo, de difícil control del volumen de ventas. Declararemos ventas superiores a las producidas para lavar el dinero de origen ilegal.

Nos encontramos ante un sector de la actividad comercial que presenta unas circunstancias ideales para el blanqueo de dinero de origen ilegal y también para defraudar a la Hacienda Pública, al tratarse, en muchas ocasiones, de ventas al contado que no generan facturas y que se realizan directamente al consumidor final (bares, restaurantes, bingos, casinos, comercios, etc.).

Hacienda no puede controlar que las cantidades que se declaran sean correctas, ni puede saber el margen comercial que se aplicó, ya que los clientes han pagado al contado, no hay facturas y se trata de servicios consumidos que no dejan rastro.

Con carácter general, el reciclaje se realiza en las siguientes etapas:

1) Desarrollo de actividades delictivas que generan beneficios ilegales.
2) Montaje de un negocio en el sector de servicios, que reúna las características más adecuadas para eludir el control fiscal y policial.
3) Declarar beneficios superiores a los generados por el negocio, que proceden de las actividades delictivas.
4) Invertir los beneficios en otros sectores económicos.

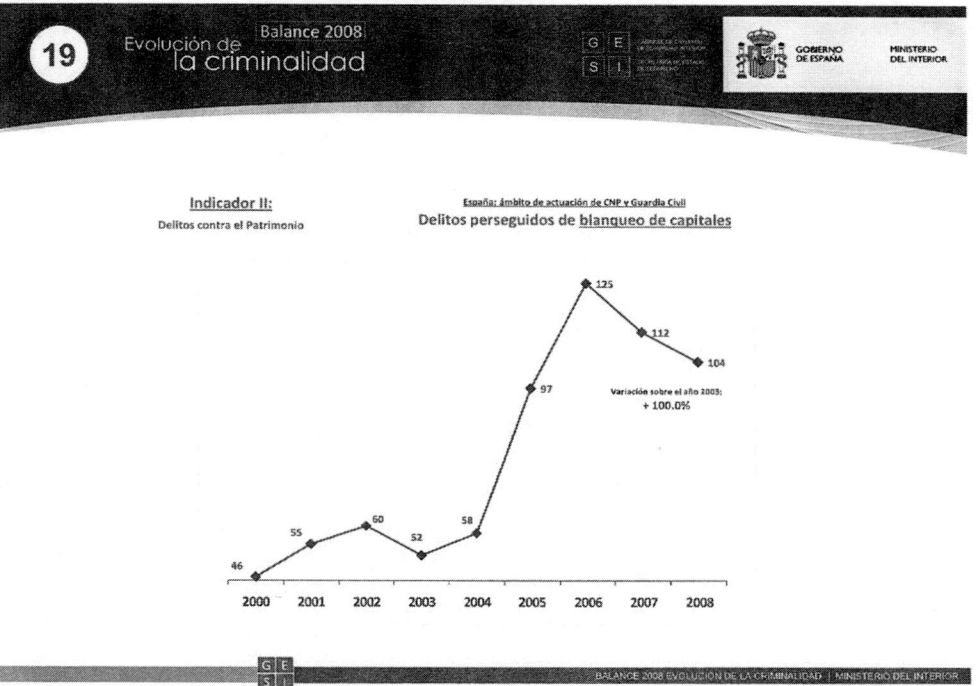

La incorporación a nuestro ordenamiento (Ley Ómnibus y Paraguas) de la Directiva 2006/123/CE, o comúnmente denominada Directiva de Servicios, tiene por objetivo facilitar el ejercicio de la libertad de establecimiento de los prestadores de servicios y la libre circulación de los servicios, manteniendo, al mismo tiempo, un nivel elevado de calidad en los servicios, pero, por supuesto, facilitará el blanqueo de capital a las empresas ficticias, que se implantarán en nuestro país con las facilidades y condiciones del país de origen con la solo pretensión criminógena.

DIRECTIVA 2006/123/CE

OBJETO

«Facilitar el ejercicio de la libertad de establecimiento de los prestadores de servicios y la libre circulación de los servicios, manteniendo, al mismo tiempo, un nivel elevado de calidad en los servicios».

CONCEPTO DE «SERVICIO»

«Cualquier actividad económica por cuenta propia, prestada normalmente a cambio de una remuneración, contemplada en el artículo 50 del Tratado» (los servicios comprenderán, en particular, actividades industriales, mercantiles, artesanales y propias de las profesiones liberales).

EXCLUSIONES

ÁREAS LEGALES NO AFECTADAS	ACTIVIDADES Y SERVICIOS EXCLUIDOS
- Derecho Penal y Derechos fundamentales - Derecho Laboral y de Seguridad Social - Derecho Internacional Privado (en especial el referido a la legislación aplicable a las obligaciones contractuales y extracontractuales) - Fiscalidad y requisitos de acceso a fondos públicos - Definición de servicios de interés económico general - Libre circulación de mercancías	- Servicios no económicos de interés general y Servicios financieros - Servicios y redes de comunicaciones electrónicas y Servicios de transporte - Servicios de empresas de trabajo temporal y Servicios de seguridad privada - Servicios Sanitarios y Servicios sociales relativos a vivienda social, atención a los niños y apoyo a familias y personas necesitadas - Servicios audiovisuales, de radiodifusión y Actividades de juegos de azar por dinero - Actividades vinculadas al ejercicio de la autoridad pública - Servicios prestados por notarios y agentes judiciales designados mediante un acto oficial de la Administración

ALGUNOS ASPECTOS DESTACADOS

SIMPLIFICACIÓN ADMINISTRATIVA

El Capítulo II de la Directiva obliga a los estados miembros a abordar un programa de medidas de modernización y simplificación administrativa de todos los procedimientos y trámites necesarios para el acceso y ejercicio de una actividad de servicios, con independencia de que se refieran al establecimiento del prestador de servicios en un estado miembro o a la prestación transfronteriza de los servicios.

- **Simplificación de procedimientos:** los estados deben evaluar si los requisitos administrativos, los datos y documentos a aportar, los registros..., son verdaderamente necesarios o si pueden suprimirse o sustituirse por otros menos gravosos para el prestador de servicios.
- **Ventanillas únicas:** los estados deben garantizar que los prestadores puedan realizar todos los trámites necesarios para el acceso y ejercicio a la actividad de servicios a través de estas ventanillas, concebidas como interlocutores institucionales únicos que eviten al prestador la necesidad de tener que contactar con distintas autoridades u órganos administrativos.
- **Procedimientos electrónicos:** los estados deben garantizar que los prestadores puedan realizar todos los trámites a distancia y por vía electrónica (a través de las ventanillas únicas o ante la autoridad competente cuando así lo elija el prestador).
- **Información:** los estados deben facilitar —a través de las ventanillas únicas—, a los prestadores y a los destinatarios de los servicios, información sobre los requisitos y procedimientos del derecho interno y sobre las vías de recurso en caso de litigio.

LA LIBERTAD DE ESTABLECIMIENTO Y EL RÉGIMEN DE AUTORIZACIONES

- La Directiva sólo admite que se supedite el ejercicio de la actividad de servicios a un régimen de autorización que cumpla 3 condiciones: no ser discriminatorio, estar justificada por una razón imperiosa de interés general, que su objetivo no pueda conseguirse con un medida menos restrictiva.
- La duración de la autorización no podrá limitarse en el tiempo (salvo renovación automática o razón imperiosa de interés general).
- Se establece una serie de requisitos que los estados miembros no pueden exigir, como, por ejemplo, los basados en la nacionalidad, los que limiten el establecimiento a un único estado miembro, las cláusulas de reciprocidad o las pruebas económicas.

LA LIBRE CIRCULACIÓN DE SERVICIOS

- Los estados deben respetar el derecho de los prestadores a ejercer su actividad en un estado distinto, y sólo podrán exigir algún requisito para el ejercicio de la actividad cuando, sin ser discriminatorios, sean proporcionales y necesarios y su exigencia esté justificada por razones de orden público, seguridad pública, salud pública o protección del medio ambiente.
- Se prohíben una serie de requisitos, como, por ejemplo, la obligación de disponer de establecimiento en el estado en que se presta el servicio o la de obtener una autorización o inscribirse en un registro del estado en el que se va a prestar el servicio.

CÓDIGOS DE CONDUCTA COMUNITARIOS

Los estados miembros, en colaboración con la Comisión, tomarán medidas complementarias para fomentar la elaboración a escala comunitaria, en particular por colegios, organizaciones y asociaciones profesionales, de códigos de conducta destinados a facilitar la prestación de servicios o el establecimiento de un prestador en otro estado miembro, de conformidad con el Derecho comunitario.

En puntos anteriores he destacado la importancia que en determinados esquemas de blanqueo de capitales tiene la inversión en bienes inmuebles, especialmente por parte de personas de nacionalidad extranjera. En un informe presentado en enero de 2008 por el SEPBLAC ha reseñado que la complejidad legislativa y la importancia de las inversiones han generado la aparición de determinados profesionales cuya función es prestar asesoramiento jurídico y financiero. Se trata de una actividad ilícita que ha encontrado un espacio en el que convergen oferta y demanda de servicios.

Pero a menudo asistimos a prácticas en las que los asesores ofrecen servicios que van más allá del consejo legal o financiero, utilizando sus propias estructuras para titular los bienes o recibir los fondos utilizados en su adquisición, de forma tal que, bajo un presupuesto de desconocimiento del origen de los fondos implicados en la compraventa, el asesor consultor podría estar siendo sujeto activo de operaciones de blanqueo de fondos, ya que es él quien los integra en el sistema soportando los controles que el resto de los intervinientes realicen y asumiendo la posición de garante en el ámbito del conocimiento.

Se trata de una práctica de elevado riesgo, ya que esas actividades suelen ser ejercidas por profesionales del derecho o las finanzas, sobradamente conocidos en las ciudades en las que operan, y sobre los que los controles preventivos son difíciles, teniendo en cuenta el extraordinario número de operaciones que realizan y los importantes volúmenes de fondos que gestionan.

En la Memoria de la Fiscalía General del Estado del año 2008 señala que fueron presentados antes los órganos judiciales de la Audiencia Nacional de 56 escritos de acusación contra integrantes de peligrosos grupos criminales, dotados de organización estable y generalmente transnacional, dedicado al tráfico de drogas y/o blanqueo de capitales asociados al mismo. Por su parte, la reforma del Estatuto Orgánico ha impulsado definitivamente la Fiscalía Especial contra la Corrupción al definir legalmente la ampliación de su ámbito de competencia a determinadas conductas criminales vinculadas a la delincuencia organizada.

En la tipología de blanqueo de capital expuesta por el SEBLAC dedica una mención a las Personas Expuestas Políticamente (PEP). Se trata de una clasificación específica en tanto que lo característico no es el tipo de operación que se realiza, ni siquiera el sector de actividad o de negocio en el que se integran los fondos, sino la condición política que tiene el propietario de estos. Cada vez con más fuerza surge la necesidad de reforzar los controles de las operaciones en las que se implican estas operaciones, sus familiares directos y las personas relacionadas, al ser especialmente sensibles al blanqueo de capitales procedentes de delitos relacionados con la corrupción.

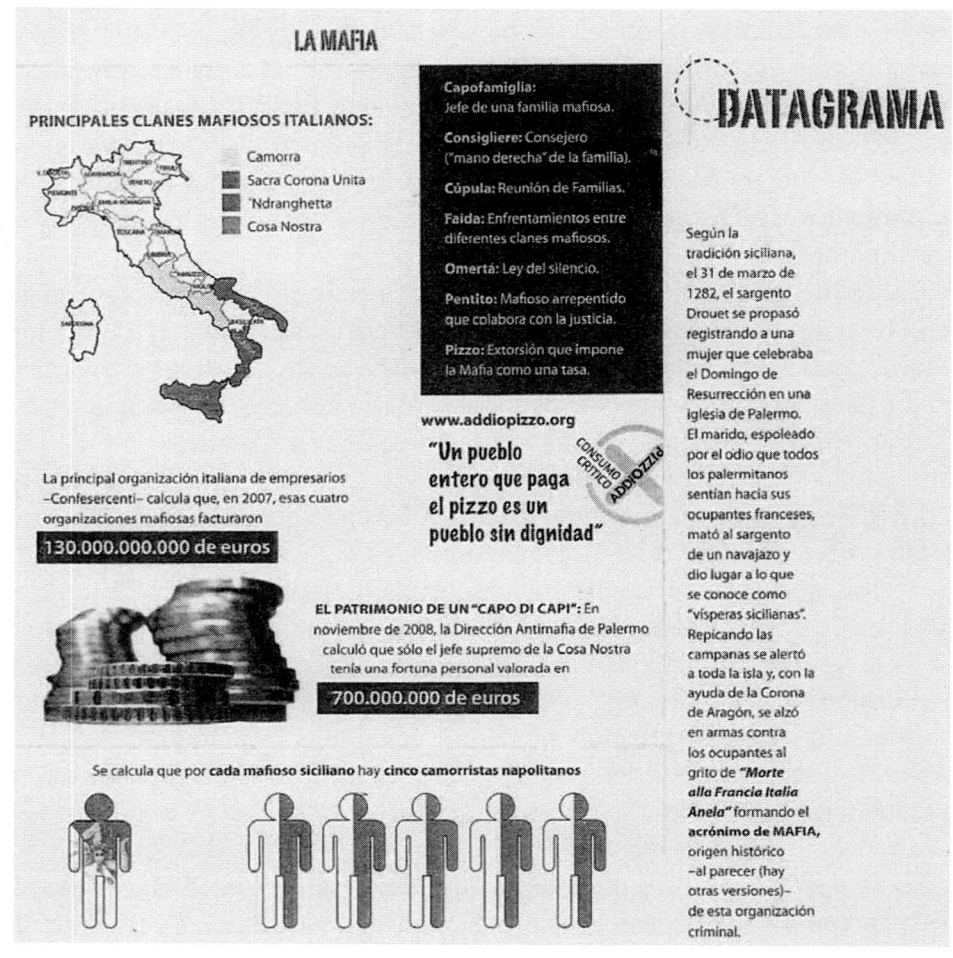

El desarrollo de sistemas de pago alternativos al dinero y otros medios tradicionales ha generalizado la utilización de nuevos formatos en los que el dinero físico (o materializado en otros instrumentos bancarios) ha cedido terreno a favor de otros sistemas modernos que se basan en formatos electrónicos (véase la Ley 16/2009 de 13 de noviembre de Servicios de Pago que regula los servicios de pago, relacionados en el apartado 2, que se presten en territorio español, incluyendo la forma de prestación de dichos servicios, el régimen jurídico de las entidades de pago, el régimen de transparencia e información aplicable a los servicios de pago, así como los derechos y obligaciones respectivas tanto de los usuarios de los servicios como de los proveedores de los mismos. La presente Ley lleva a cabo la incorporación al Ordenamiento Jurídico español de aquellas disposiciones de la Directiva 2007/64/CE sobre servicios de pago en el mercado interior que requieren rango legal) que incorporan derechos de créditos contra saldos depositados en entidades financieras (bancos y otros operadores) y que permiten disponer, en el acto, del dinero depositado o custodiado en territorios muy lejanos. Las notas que caracterizan este canal y las posibilidades que ofrece para alojar operaciones de blanqueo de capitales son las siguientes:

1. Modifica radicalmente los sistemas tradicionales de gestión, manipulación y envío de fondos.
2. Utiliza los desarrollos tecnológicos, que son incorporados de forma inmediata y eficaz en el diseño de las nuevas posibilidades de negocio.
3. Existe una dispersión de las competencias de regulación, al ser una normativa de marcado carácter administrativo con muchos organismos tangencialmente competentes.
4. Dificultades para el control de las operaciones, ya que los sistemas tecnológicos no son idóneos para incorporar filtros o controles de carácter subjetivo.
5. Existe una continua rivalidad entre los planteamientos dirigidos a la prevención contra comportamientos criminales (fraude y blanqueo de capitales) y los relacionados con el desarrollo del negocio.

Directamente relacionado con este canal se ha desarrollado una subcategoría en la que se incluyen los nuevos sistemas que ofrecen pasarelas de pago dirigidas a favorecer que cualquier persona, sin necesidad de ser titular de un punto de facturación para ventas con tarjetas (TPV), pueda admitir este instrumento como medio de pago. Se trata, en definitiva, de permitir que cualquier oferente de bienes o servicios pueda facturar con cargo a tarjetas y a través de Internet. Este sistema se ha acreditado, en varias ocasiones, idóneo para operaciones de blanqueo de capitales procedentes de la comisión de delitos de diversa naturaleza, especialmente la venta de sustancias o contenidos prohibidos (medicamentos, armas, pornografía infantil, etc.), ya que ofrece, entre otras, las siguientes ventajas: a) Se puede ceder la posibilidad de conexión, de forma que se establecen cadenas en las que los sujetos integrantes no conocen la composición completa ni el número de personas y países implicados. b) El agente que factura los cobros ignora la naturaleza de la mercancía o contenido vendido. c) La secuencia de movimientos bancarios implicados en las diferentes compensaciones incrementa el número de países y entidades financieras involucrados, lo que acrecienta la complejidad de la reconstrucción de las cadenas.

Capítulo 14

Aspecto jurídico-penal del asesor fiscal como cooperador necesario o coautor del delito fiscal

El Derecho Tributario nació con la concepción moderna del tributo. Por tanto, la institución que da cohesión y sentido al Derecho Tributario es el tributo, que podemos definirlo como «prestaciones pecuniarias coactivas regidas por los principios de legalidad y capacidad contributiva de que se sirve el Estado para obtener los medios económicos necesarios para el cumplimiento de sus fines». De esta definición destacan tres características:

a)   Es una prestación coactiva.
b)   Es una persona pecuniaria.
c)   Tiene la función de asegurar al Ente Público los medios necesarios para el cumplimiento de sus fines, si bien cabría añadir que también podría cumplir otros fines: sociales, redistributivos y de la política económica.

El sistema tributario español es un conjunto de normas que tienen por finalidad regular las relaciones tributarias entre el ciudadano, en este caso el contribuyente, y las instituciones públicas. Es una relación en la que normalmente el ente público es el sujeto activo (poseedor de derecho), y el contribuyente el sujeto pasivo (sujeto de obligaciones). Esta relación que se crea está regulada por una serie de normas contenidas en las leyes y demás disposiciones legales.

Los delitos regulados en los artículos 305 a 310 del CP pueden ser cometidos, siguiendo las reglas generales del CP, bien como autor del mismo o bien como cómplice de los mismos.

En este sentido, el artículo 27 del CP dispone:« Son aquellos responsables criminalmente de los delitos y faltas los autores y cómplices».
El artículo 28, a su vez, dispone: «son autores quienes realizan el hecho por sí solos, conjuntamente o por medio de otro del que se sirven como instrumento.
»También son considerados autores:
a)   Los que inducen directamente a otro u otros a ejecutarlo.
b)   Los que cooperan a su ejecución con un acto sin el cual no se habría efectuado».

Por su parte, el artículo 29, a su vez, dispone: «Son cómplices los que, no hallándose comprendidos en el artículo anterior, cooperan a la ejecución del hecho con actos anteriores o simultáneos».

El sujeto activo es cualificado: únicamente el obligado tributario, deudor por cuantía superior a la tipificada como condición objetiva, puede realizar antijurídicamente el tipo. Desde esta perspectiva, se trata de un delito especial. Los partícipes no cualificados responderán eventualmente a través de las determinaciones que se contienen en los artículos 28 o 29 del Código Penal.

Ello no obstante, existen otros sujetos pasivos de obligaciones tributarias, no exactamente deudores, aptos para poder ser activos del tipo; así ocurre con el retenedor, el pagador en especie, el que previamente ha ingresado y obtiene una devolución indebida, y también quien logra, por disfrutar de unos beneficios fiscales indebidos, no contribuir, o hacerlo por menor importe del que correspondería.

Hay que tener en cuenta o en consideración algunos de los principios rectores de nuestro sistema tributario (art. 31 Sección 2.ª. Capítulo 2.ª Título Primero.CE):

✓ Principio de Justicia Tributaria: "Todos contribuirán al sostenimiento de los gastos públicos de acuerdo con su capacidad económica, mediante un sistema tributario justo inspirado en los principios de igualdad y progresividad que, en ningún caso, tendrá alcance confiscatorio".
✓ Principio de capacidad económica.
✓ Principio de generalidad: "Todos contribuirán al sostenimiento de los gastos públicos". El pronombre "todos" es bien expresivo de la formulación del principio de generalidad en el pago de los Tributos.

Motivos morales aparte, hay que recordar que los impuestos (art. 2.2.º C Ley 58/2003 de 17 de diciembre, General Tributaria) no son contribuciones voluntarias, sino exigencias pecuniarias impuestas por la normativa vigente en cada Estado. Partiendo de esta idea, se llega a una conclusión: nadie nos puede exigir más de lo que la ley, en cada momento, establece.

El problema práctico de mayor dimensión se plantea con los llamados asesores fiscales (generalmente abogados cuyos requisitos para acceder a esta profesión serían los siguientes: 1. Estar en posesión de la nacionalidad española o de otro Estado miembro de la Unión Europea. 2. Estar en posesión del título de derecho válido en España. 3. Haber obtenido la acreditación de aptitud profesional. 4. Estar incorporado al correspondiente Colegio de Abogados o de Procuradores. La normativa aplicable: Real Decreto 1424/1990, de 26 de octubre, por el que se establece el título universitario oficial de licenciado en Derecho y las directrices propias de los planes de estudios conducentes a la obtención de aquel. Directiva 98/5/CE del Parlamento Europeo y del Consejo, de 16 de febrero, destinada a facilitar el ejercicio permanente de la profesión de abogado en un Estado miembro distinto de aquel en el que se haya obtenido el título, traspuesta por el Real Decreto 936/2001 de 3 de agosto. Real Decreto 658/2001 de 22 de junio, por el que se aprueba el Estatuto General de la Abogacía Española. Real Decreto 1281/2002 de 5 de diciembre, por el que se aprueba el Estatuto General de los procuradores de los Tribunales de España. Ley Orgánica 6/1985 de 1 de julio del Poder Judicial. El Plan Bolonia), quienes en buen número de ocasiones resultan ser los ideólogos de singulares técnicas elusivas. Ello, unido a la aludida complejidad de la normativa tributaria, puede permitir la distinción entre un deudor obligado tributario (sujeto activo) y un diferenciable "autor" de la acción u omisión, este en el plano ideal.

En este sentido, la Sentencia del Juzgado de lo penal número 14 de los de Madrid, de fecha 6 de abril de 2000, dispuso: «del citado delito es responsable criminalmente en concepto de autor los acusados don R...V... P... y don B...W... H... por su participación directa y personal en los hechos de conformidad a lo previsto en el artículo 28 CP vigente y 14 del CP de 1973. Don B...W... H... es responsable en concepto de autor directo. Es la persona que se beneficia directamente del importe de la venta del inmueble y del no pago del impuesto. Asume plenamente las directrices que le marca su asesor fiscal, a quien previamente había dicho de forma expresa que atravesaba dificultades financieras, indicándole que tenía interés de demorar el pago. Aun suponiendo que su interés inicial fuera demorar o diferir el pago, el objetivo final resultó el impago total y absoluto del impuesto. Llevó a cabo actos directos de autoría como son la firma de las declaraciones del impuesto sobre la renta incorrectas e incompletas, facilitó dinero en efectivo para los desembolsos que generaban los gastos propios de la constitución de las empresas ficticias y estaba al tanto de las vicisitudes en general del expediente administrativo con Hacienda, pues declaró en el acto del juicio que en alguna ocasión, no solamente en el momento de los hechos, sino después, preguntaba muchas veces a don R... V... P... cómo iban las cosas y este le comentaba que estuviera tranquilo. Ciertamente, el señor R...V... P... posee un nivel cultural alto. Según sus propias manifestaciones es piloto militar y empresario desde hace 30 años. Posiblemente no sea un experto en Derecho Tributario y también es posible que no llegara a comprender, hasta el último extremo, la trama urdida, pero lo que no puede negar es que, con su nivel cultural evidente, su nivel de inteligencia también notable a tenor de su gran capacidad de expresión oral, su experiencia profesional de más de 30 años como empresario, supiera que se había realizado la venta de un bien, que toda una trama compleja con siete empresas ficticias, hasta finalizar en el no abono de cantidad alguna a la Hacienda Pública. Sentencia de Nuestro Supremo de 2 de marzo de 1988 en un caso semejante excluye el error del tipo o error de prohibición en persona que asume altas responsabilidades en una empresa de gran actividad económica. Don R... V... P... (asesor fiscal) es responsable en concepto de cooperador necesario.

»Un caso semejante lo tenemos descrito por la Jurisprudencia más reciente en Sentencia del Tribunal Supremo de 26 de julio de 1999. El señor V... P... ha reconocido que el desarrollo concreto de la operación es de su exclusiva responsabilidad. Es obvio que una operación con un desarrollo tan complejo, aunque la idea inicial sea simple, se diseña y ejecuta por un Experto Tributario. Sin sus conocimientos, su participación directa, es imposible llevar a cabo la elusión del pago del impuesto y de ahí lo indispensable de su cooperación, que le hace coautor del hecho delictivo».

La jurisprudencia mayoritaria se ha decantado por considerar que el delito de defraudación tributaria lleva aparejada por vía de responsabilidad civil la condena al pago de la cuota defraudada (SSTS 25 de febrero de 1998 y 18 de diciembre de 2000). La Hacienda Pública podrá exigir, además de las cantidades defraudadas, los daños y perjuicios que se le hayan producido.

La condena al pago es especialmente significativa para los reos de esta figura delictiva, a la vista de la exigencia de pago de la responsabilidad civil establecida en el artículo 90.1.c) del Código Penal y artículo 72.5 de la Ley Orgánica General Penitenciaria, que impide la obtención del tercer grado penitenciario sin que se hayan abonado las responsabilidades civiles, lo que podría constituir un supuesto de prisión por deudas, absolutamente inaceptable (para la concesión del beneficio de suspensión de la condena no sólo es necesario que se cumplan los requisitos que se determinan en el artículo 81 del Código Penal, sino que es preciso que el Tribunal también tenga en cuenta la existencia de otros procedimientos penales contra este, de conformidad con el artículo 80.1 del mismo texto legal, para lo que puede ser un dato fundamental si se encuentra en prisión provisional [véase artículo 503.1.3.º a) párrafo 3.º de la Ley de Enjuiciamiento Criminal, sobre la prisión o libertad provisional] o sufriendo otra medida cautelar en causa penal distinta. También para la sustitución de las penas de prisión por las de localización permanente o de multa es preciso tener en cuenta las circunstancias personales del reo, y su conducta, tal como prevé el artículo 88.1 del Código Penal, para cuya valoración es igualmente preciso conocer si se encuentra incurso en otras causas criminales por delito, y si en esas causas se han acordado medidas cautelares contra él).

Conviene tener en cuenta lo establecido en la disposición décima de la Ley 58/2003 de 17 de diciembre, General Tributaria, que regula la Exacción de la Responsabilidad civil por delito contra la Hacienda Pública, indicando que en los procedimientos por delitos contra la Hacienda Pública, la responsabilidad civil comprenderá la totalidad de la deuda tributaria no ingresada, incluidos sus intereses de demora (el artículo 26.6 del LGT dispone que será el interés legal del dinero vigente a lo largo del período en el que aquél resulte exigible, incrementando en un 25 por 100, salvo que la ley de Presupuesto General del Estado establezca otro diferente, «El Interés Legal del Dinero se situó en 8% para 2008»), y se exigirá por el procedimiento de apremio (véanse arts. 163, 164 y 167.1 de la LGT, art. 70 Reglamento General de Recaudación «Regulación del Procedimiento de Apremio», así como LO 2/1987 de 18 de mayo de Conflictos Jurisdiccionales y la Ley 22/2003 de 9 de julio Concursal, que ha sido objeto de reforma por el Real Decreto-Ley 3/2009 «Sobre la suspensión del procedimiento de Apremio»). Cuando se hubiera acordado el fraccionamiento de pago de la responsabilidad civil conforme al artículo 125 del Código Penal, el Juez o Tribunal lo comunicará a la Administración Tributaria.

Es ciertamente curioso observar cómo el Juzgado Central de Instrucción número 3 de la Audiencia Nacional ha venido manteniendo durante años la imputación contra centenares de personas por el caso de las cesiones de crédito, mientras que quien ideó tan sui géneris sistema de inversión de activos irregulares, y lo vendió a las entidades bancarias, puede contemplar el consiguiente espectáculo procesal como simple espectador.

Significativa es la presencia en este tipo de operaciones de los asesores que recomiendan y construyen la ingeniería jurídico-mercantil, que responden como cómplices o cooperadores necesarios.

Se precisa en estas acciones u omisiones el dolo (STS de fecha de 20 de julio de 1993), entendido como la intención o propósito de escapar del pago de los que se es en deber a la Hacienda. Por otra lado, es preciso distinguir entre el autor material y las personas que tienen una intervención puramente mecánica (actividades burocráticas sin capacidad de decisión).

Actualmente, la posición de la Jurisprudencia, así como la mayoría de la doctrina científica, equipara "defraudar" como sinónimo de "engañar", es decir, una conducta del obligado tributario o coautor que sea susceptible de producir, por un lado, un perjuicio económico a la Hacienda Pública y, por otro, que dicha conducta se realice precisamente con esa intencionalidad de querer engañar. *Dolus Est Consilium Alberti Noecendi*: dolo es la intención de perjudicar a otro.

El engaño se puede producir, bien:
✓ Mediante la ocultación voluntaria en las declaraciones o autoliquidaciones de los hechos imponibles o de bases imponibles, bien de forma total o parcial.
✓ Mediante la tergiversación consciente de los hechos con trascendencia tributaria.

A diferencia de lo que ocurre en el ámbito del Derecho Sancionador Tributario, en el que pueden ser sujetos infractores tanto las personas físicas como las jurídicas e incluso las entidades carentes de personalidad jurídica (por ejemplo: Herencias Yacentes, Comunidades de Bienes [véase artículo 35.4 de la Ley General Tributaria]), en el ámbito del Derecho Penal sólo pueden cometer delitos las personas físicas (por ejemplo: el Administrador de Hecho o de Derecho o el Representante legal o Voluntario, entre otras). Y siendo responsables tributarios las personas jurídicas (art. 31 Código Penal).

No obstante, la última reforma del Código Penal, con entrada en vigor el 23 de diciembre de 2010, incide en el tema de la responsabilidad penal de las personas jurídicas, cuya regulación penal encierra importantes dificultades generadas por el principio *societas delinquere non potest*. Debe entenderse que esa responsabilidad no puede sustituir a la de las personas físicas. Este sistema que se presenta trata de no reducir la responsabilidad de la persona jurídica al simple papel de pagadora de la multa impuesta a los administradores. Las multas imponibles a las personas jurídicas serán modulables.

El artículo 305 del Código Penal impone penas privativas de libertad (de 1 a 4 años y multa del tanto al séxtuplo de la cuantía defraudada), cuando se defrauda en cuantía que supere los 120.000 euros por período impositivo o año natural. Si no se alcanza tal cantidad, la conducta no pasaría de una sanción administrativa. En materia de prescripción del delito fiscal es de diez años.

Conceptos básicos:

❑ **Elusión de Impuestos**: Acción del sujeto pasivo tendente a dejar de desarrollar cualquier actividad que se encuentre sujeta a gravamen. La elusión fiscal es un acto voluntario del contribuyente que habrá de ampararse, en cada caso, en lo dispuesto en las normas. En caso contrario, nos encontraríamos con el fraude fiscal.

❑ **Evasión Impositiva**: Actitud del contribuyente tendente a no pagar un determinado impuesto. La evasión puede ser ilegal (Contrabando y Fraude Fiscal) o legal (renuncia a efectuar ciertos consumos gravados por un cierto tributo a favor de otros consumos cuyo gravamen es menos).

❑ **Fraude Fiscal**: Ocultación de los actos u operaciones integrantes del hecho imponible del impuesto. Se trata de un modo de evadir, ilegalmente, los impuestos.

❑ **Ocultación Fiscal**: Elusión fiscal consistente en no declarar total o parcialmente a la Administración Tributaria la existencia de rentas, bienes, comercio, industria o profesión.

Capítulo 15

La nueva delincuenia fiscal: derecho comparado del delito y las tramas

Como señala la Sentencia 76/1990, de 26 de abril, del Tribunal Constitucional, la "lucha contra el fraude fiscal es un fin y un mandato que la Constitución impone a todos los poderes públicos, singularmente al legislador y a los órganos de la Administración tributaria". Es decir, "no es una opción que quede a la libre disponibilidad del legislador y de la Administración, sino que, por el contrario, es una exigencia inherente a «un sistema tributario justo» como el que la Constitución propugna en el artículo 31.1".

Actualmente, existen dos enfoques complementarios sobre lo que ha de entenderse como bien jurídicamente protegido en el delito fiscal. Para el primero, el bien jurídico protegido es el Erario público entendido como el patrimonio de la Hacienda Pública en su manifestación completa de los diferentes impuestos. Para el segundo, el bien jurídico protegido son los valores constitucionales consagrados en el artículo 31.1 CE, incluido el justo reparto de la carga tributaria.

El núcleo de la conducta típica en el delito fiscal es la defraudación, que algunos entienden como perjuicio patrimonial ocasionado por el incumplimiento consciente de un deber tributario (el incumplimiento intencionado de las obligaciones tributarias) y, otros, como perjuicio patrimonial causado mediante engaño.

Para esta última postura (que surge especialmente al examinar los supuestos de devolución indebida) toda defraudación implica algún tipo de maquinación engañosa (simulación de la realidad tributaria) pero este engaño tiene una configuración distinta al de la estafa. Pese a la similitud entre la estructura de ambos delitos, en el delito fiscal no es necesario, como sucede en la estafa, un engaño idóneo para inducir a error a la Administración ni que este error sea determinante del desplazamiento patrimonial, sino que la Administración tributaria actúa con independencia del engaño en cumplimiento de sus deberes.

El incumplimiento o defraudación de las obligaciones tributarias sólo tiene relevancia penal cuando el importe de la cantidad defraudada o dejada de ingresar alcanza la cifra que determina la norma penal, cifra que delimita la frontera entre la sanción administrativa y la sanción penal. Desde el 1 de octubre de 2004, tras la modificación del artículo 305 CP operada por la Ley Orgánica 15/2003, la cuantía de la cuota defraudada, el importe no ingresado de las retenciones o ingresos a cuenta o de las devoluciones o beneficios fiscales indebidamente obtenidos o disfrutados, ha de superar la cifra de 120.000 euros.

La Circular del Tribunal Supremo de 20 de abril de 1978 señalaba, referente al delito fiscal, que se trata de un delito intencional, que no puede cometerse más que por dolo y no por culpa o negligencia. Al margen de este delito contra la Hacienda Pública y contra la Seguridad Social, pueden darse dentro del ámbito tributario otro tipo de delitos, no específicamente fiscales, como por ejemplo el delito de apropiación indebida (artículo 252 CP), alzamiento de bienes (artículos 257 a 259 CP) o quiebras o concursos fraudulentos (artículos 260 y 261 CP).

La configuración del delito fiscal en España tiene un carácter excesivamente genérico y no armonizado con el derecho sancionador tributario.

En el Derecho comparado pueden observarse soluciones distintas a la española para tales problemas. Así, puede citarse el caso alemán, donde tanto las infracciones como los ilícitos penales se encuentran regulados en el mismo cuerpo normativo, lo que facilita su coordinación. En Alemania, la línea divisoria entre la infracción administrativa y el delito no se basa en la cuantía de lo defraudado, sino en la gravedad de la conducta, calificada por la intención. Dicho con otras palabras, el dolo viene a erigirse en el elemento clave que diferencia entre ilícito administrativo y penal.

En Holanda la situación es similar, ya que el delito no depende de la cuantía, sino que exige, en todo caso, el dolo. No obstante, se deja mucha libertad a las autoridades fiscales a la hora de decidir la persecución penal del ilícito.

Otro caso interesante es el de Rusia, donde la frontera entre la infracción y el delito es la cuantía, pero se diferencia entre personas físicas y jurídicas, previéndose límites distintos. Por lo que se refiere a los colaboradores, se castigan con las mismas penas que a los autores siempre que se den dos circunstancias: que se trate de un ilícito penal y que su conducta sea dolosa.

También es diferente la situación en Italia, donde la diferencia entre infracciones y delitos gira en torno al tipo. Además, existen diferentes tipos delictivos, que atienden a la gravedad de la infracción.

En EE. UU. la situación es muy parecida. Las infracciones administrativas (que allí llaman civiles para distinguirlas de las criminales) y los delitos se regulan en el mismo texto legal: el Código Tributario. Las descripciones de la conducta ilícitas en ambas categorías son muy detalladas, existiendo hasta 28 conductas tipificadas como delitos fiscales. Igual que en Holanda o Alemania, la frontera entre faltas y delitos no está en la cuantía defraudada sino en el dolo (*Dolus Est Consilium Alteri Nocendi*: dolo es la intención de perjudicar a otro).

En los últimos años se han venido desarrollando con intensidad creciente un conjunto de figuras de fraude tributario que responden a unas mismas pautas que han venido a recibir la denominación convencional de "fraude de tramas".

Una descripción del fraude en el IVA intracomunitario desarrollado mediante tramas organizadas es la que se denomina "fraude en adquisiciones". En esta modalidad, el mecanismo del fraude es el siguiente:

La empresa A, registrada en el Estado Miembro X, realiza una entrega intracomunitaria de bienes a la empresa B, registrada en el Estado Miembro Y.

La empresa B adquiere los bienes exentos de IVA y, a continuación, realiza una entrega interna a la empresa C, también en el Estado Miembro Y, operación plenamente sujeta. La empresa B ("*missing trader*" o "trucha"), en efecto, repercute formalmente el IVA en sus ventas a la empresa C, pero no lo ingresa y, al poco tiempo, desaparece.

La empresa C ("destinatario final"), en la medida en que dispone de la factura que justifica el haber soportado efectivamente la repercusión del impuesto, puede sin más problema deducir el IVA. Correspondiente a sus adquisiciones a B, cuando, a su vez, vende los bienes en el mercado interno.

Como consecuencia de la falta de ingreso de B, la pérdida de recaudación del IVA es igual a la cuota pagada por C a B y no ingresada por esta última empresa.

Debe volver a señalarse, sin embargo, que, en esta como en las demás modalidades de fraude (Fraude Carrusel, carrusel documental), puede desplazarse el importe del impuesto dejado de ingresar hacia una reducción de los precios de venta con objeto de obtener una situación más competitiva, vía precios.

Por otra parte, a medida que con el paso del tiempo el fraude se ha venido sofisticando, los bienes, por lo general, son suministrados por B a C, no directamente, sino a través de una o varias empresas intermedias D, E, F, etc. ("pantallas") que, añadiendo un mínimo valor a la operación, logran, sin embargo, dificultar la investigación del nexo o connivencia existente entre B ("*missing trader*") y C (el "destinatario final").

El fraude por medio de tramas es gravemente perjudicial al normal funcionamiento del mercado y lo distorsiona de una forma significativa. Si existe una parte de las mercancías que resulta en mayor o menor medida desfiscalizada gracias al fraude organizado y tales bienes deben competir con los comercializados por otras empresas que pagan regularmente sus impuestos, se produce una tendencia a la expulsión del mercado de los operadores honrados. Las mercancías que pueden venderse más baratas (gracias al impago de los impuestos) sustituyen a los productos que incluyen los correspondientes impuestos indirectos. A medio plazo el efecto puede ser grave si acaba contaminando toda la actividad económica sectorial, ya que los empresarios cumplidores ven mermada su competitividad.

La existencia de las tramas de IVA no es un fenómeno individualizado de fraude de determinadas empresas sino el producto de redes organizadas muy bien estructuradas, altamente especializadas, destinadas a permitir el fraude, generar la infraestructura que lo soporte, incluyendo en ocasiones centenares de sociedades instrumentales, que se ponen al servicio de las empresas, y capaces de reaccionar con mucha agilidad a las acciones de los poderes públicos. Cabe hablar sin tapujos de una profesionalización del fraude.

El carácter organizado de las tramas de IVA facilita la participación o incorporación a esas tramas de grupos directamente vinculados a otras organizaciones de delincuencia organizadas. Como ejemplo de esto último puede mencionarse que las recientes detenciones de sujetos implicados en fraude de automóviles han demostrado la existencia de falsedades en la documentación, rectificación de número de bastidor, estafas e incluso robo de automóviles en relación con la introducción en España de estos.

Bajo el título *La Violencia en el Siglo XXI,* celebrada los días 28 y 29 de mayo de 2004, en Barcelona, y organizada por la Escuela de Criminología de Cataluña en colaboración con la Asociación General de Criminólogos, se celebró las *VI Jornadas de Criminología*, con la ponencia de don Juan Rueda, Inspector Jefe del CNP, Jefe del Grupo de Relaciones Internacionales del UDYCO Central (Comisaria General de Policía Judicial). En su ponencia, señaló que una de las características cualitativas de la delincuencia organizada internacional es su capacidad de adaptación a las condiciones propias del entorno en que desarrolla sus actividades, las cuales enmascara como legales dentro de los circuitos comerciales y financieros ya existentes en cada país.

De hecho, los distintos grupos de Criminalidad Organizada explotan la vulnerabilidad y posibilidades de cada país, adoptando una metodología ad hoc y especializándose cada vez más. De forma consensual, también se han establecido trece sectores de actuación o "tentáculos" que pretenden abarcar el amplio marco de las actividades de estos grupos organizados transnacionales, a saber: tráfico ilegal de vehículos, tráfico de obras de arte, tráfico de animales protegidos, blanqueo de capital, inmigración ilegal, tráfico de órganos, etc.

España, como parte de la Europa Occidental, también se ve afectada sobremanera por el problema de la delincuencia organizada. Estas organizaciones habían encontrado en nuestro país un lugar muy atractivo para sus operaciones económicas debido a las facilidades que existen ante la inversión extranjera y a la gran dimensión del sector turístico en nuestra economía, lo que les permite ocultar la verdadera naturaleza de sus actividades.

Actualmente, algunas de las organizaciones que se dedican al tráfico de vehículos robados, entre otras actividades, son: a) La mafia Chechena. b) La mafia Ucraniana. c) La mafia Rusa. d) La mafia Búlgara. e) La mafia Eslovena. El Ministerio del Interior Ruso (MVD) estimó que el número de organizaciones criminales que operaban en Rusia en el año 2005 ascendía a 57.000, de las cuales 200 tendrían capacidad suficiente para realizar operaciones a escala internacional, contando, la mayoría de ellas, entre sus componentes a antiguos miembros de la nomenclatura comunista, de la Fuerza Armada, de los organismos de seguridad y de los Servicios Secretos (Antigua KGB).

Los integrantes de las bandas organizadas suelen utilizar pasaportes falsificados para su circulación por todo el mundo. Así, el Consejo Europeo de 25 de marzo de 2004 dio instrucciones al Consejo para avanzar en la creación, a finales de 2005, después de la elaboración de la Posición Común 20005/69/JAI del Consejo, de 24 de enero de 2005 (DOUE del 29), de un sistema integrado destinado al intercambio de información sobre pasaportes robados y extraviados basado en el sistema de información de Schengen (SIS) y la base de datos de Interpol.

La presente posición común obliga a los Estados miembros a garantizar que sus Autoridades competentes intercambien datos antes mencionados con la base de datos de Interpol sobre documentos de viaje robados, paralelamente a su introducción en la base de datos nacional correspondiente, y el SIS, en el caso de los Estados miembros que participen en él. Además, los Estados miembros se encargarán de que sus Autoridades policiales competentes consulten la base de datos de Interpol a los fines de la presente Posición Común cada vez que lo estimen necesario para el cumplimiento de su tarea.

Otra tipología de fraude, pero ahora en los impuestos especiales de fabricación, es el denominado lavado físico o fiscal del gasóleo bonificado. El fraude consiste en desviar el gasóleo bonificado hacia usos prohibidos por la Ley 38/1992, enmascarando el destinatario final del producto. En el caso del lavado físico del producto (eliminación por medios físico-químicos de los trazadores del gasóleo bonificado o exento), normalmente el destinatario del producto no es conocedor del fraude, pudiendo ser incluso objeto de engaño con adulteraciones adicionales del supuesto gasóleo adquirido. En el caso del lavado fiscal, el destinatario puede ser el agente que incita o promueve su realización normalmente, estos fraudes se complementan con la mezcla de productos de la tarifa segunda del impuesto, que al ser usados como carburantes quedan sujetos y no exentos en el Impuesto sobre Hidrocarburos.

En ambos tipos de fraude se han denunciado 15 tramas con una cuota defraudada de 35,5 millones de €.

El fraude en el impuesto especial sobre determinados medios de transporte (IEDMT) consiste en la simulación de la adquisición en otro país comunitario de un coche, normalmente matriculado en ese país, por una empresa establecida en España. Esta empresa es una sociedad de nueva creación, inactiva o "durmiente", que oculta la verdadera empresa española que realiza la adquisición intracomunitaria. La Sociedad adopta normalmente la forma de Sociedad de Responsabilidad Limitada. Una vez simulada esta operación, la "empresa pantalla" procederá a simular la matriculación del vehículo a su nombre, autoliquidando previamente el IEDMT, declarando unas bases imponibles muy inferiores al verdadero precio del coche. Los ejemplos más escandalosos han sido la declaración de bases imponible de 100 € para coches de alta gama (BMW, Mercedes, etc.), con cuotas ingresadas de 7 €. Una vez matriculado el vehículo, la "empresa pantalla" procede a simular la venta a otra empresa del sector dedicado a la venta al por menor (venta al consumidor final del vehículo).

La "empresa pantalla" es una entidad sin actividad hasta el inicio de sus actuaciones en el fraude, al frente de la misma (administrador) existe un "testaferro", que normalmente es una persona insolvente. Con el fin de dar verisimilitud formal a la operación, evitando las pruebas de la participación de terceros en el fraude, es a través de esta empresa como se canalizan las operaciones financieras entre el comprador minorista y el vendedor.

La cuota defraudada en cada coche por el IEDMT y el IVA se utiliza fundamentalmente para competir deslealmente en el sector, reduciendo el precio de venta del vehículo. El fraude en cada coche está entre el 23 y el 28% del valor de cada coche (IESDMT e IVA). Eso no descarta que alguna parte de la cuota defraudada también redunde en beneficio del vendedor y del "comisionista" cuando este existe en la trama.

Una variante de este tipo de fraude es la que se produce cuando el vendedor final del coche actúa en el marco de la economía sumergida. En este supuesto, la "empresa pantalla" normalmente solo se constituye a efectos del fraude en el IVA, simulándose por un "tercero", con engaño al comprador final del vehículo, que este último es el presentador de la autoliquidación del IEDMT.

El convenio de colaboración entre la Agencia Estatal de Administración Tributaria y la Secretaría de Estado de Justicia en materia de prevención y lucha contra el Fraude Fiscal, firmado el día 30 de junio de 2005, expuso, entre otras, en la propia presentación del Plan de Prevención del Fraude Fiscal que "la prioridad la deben constituir los comportamientos más reprochables que se producen cuando la conducta del defraudador puede calificarse de delictiva".

El incumplimiento del deber constitucional de contribuir al sostenimiento de los gastos públicos mediante un sistema tributario justo tiene su manifestación más reprochable en el fraude fiscal, expresión de una profunda insolidaridad social. El estado reacciona contra el fraude fiscal por medio de las potestades de investigación y regularización que atribuye a la Administración tributaria y, especialmente, por medio de su *ius puniendi* o potestad sancionadora, tanto en el ámbito estrictamente administrativo como en el ámbito penal, a través singularmente de la figura del delito fiscal.

La aproximación de actuaciones administrativas y procesales ha tenido ya una importante manifestación en la Instrucción 3/2005, de 12 de abril, del Director General de la Agencia Tributaria, que prevé la colaboración del Servicio Jurídico de la Agencia Tributaria con carácter previo al inicio de actuaciones procesales.

El problema de la determinación de la autoría tiene en el delito fiscal especial significación ya que las técnicas de defraudación se van orientando cada vez en mayor medida a dificultar el conocimiento de quién es el verdadero autor del delito en un intento de eludir las responsabilidades que derivan de su comisión. La postura del Tribunal Supremo es considerar que sólo puede ser autor del delito aquella persona que ostenta la condición de obligado tributario (cfr. art. 35.2 LGT). No obstante, el hecho de que el Tribunal Supremo considere que sólo el obligado tributario puede ser autor directo del delito fiscal no impide que se admita la participación punible en el delito fiscal de terceras personas ajenas a la obligación tributaria (SSTS 02.03.1988 y 26.07.1999).

En efecto, las personas ajenas a la obligación tributaria (extraneus) pueden intervenir en la comisión del delito fiscal como partícipes, en concepto de inductores, cooperadores necesarios (cif. Sentencia del Juzgado de lo Penal número 14 de Madrid de fecha 6 de abril de 2000 y art. 28 CP) o cómplices (art. 29 CP). Todos ellos, al tener distinta condición jurídica del autor (que infringe un deber especial que le es propio), pueden beneficiarse de una rebaja de la pena que proceda imponer (cif. art. 63 y 65 CP).

En muchas ocasiones, las personas que forman parte de una empresa no denuncian (derecho de no obligación para los administrados. Cif. art. 114 LGT) prácticas defraudatorias, por temor a represalias, pueden recurrir a la denuncia anónima. Aquí radica otra de las principales novedades introducidas por la nueva LGT. El artículo 103 de la LGT de 1963 exigía que las denuncias fueran realizadas por las personas físicas o jurídicas que tuvieran capacidad de obrar en el orden tributario, extremo este que evidentemente sólo podía ser constatado si las denuncias no eran anónimas, estando pues identificados los denunciantes. En cambio, el nuevo artículo 114 omite toda referencia a la capacidad de obrar del denunciante, lo que nos lleva necesariamente a concluir que, a partir de la entrada en vigor de la nueva norma, serán admisibles las denuncias anónimas.

En relación con ello, puede reseñarse que el Código Penal regula en sus artículos 197 a 201, ambos inclusive, los delitos de descubrimiento y revelación de secretos. Así las cosas, podríamos plantearnos si la Administración tributaria tendría o no el deber de dar traslado al Ministerio Fiscal o a la Jurisdicción competente del presunto delito de descubrimiento o revelación de secretos que hubiera podido cometer el denunciante. Las opiniones son negativas: en primer lugar, a tenor de los dispuesto en el artículo 262 de la Ley de Enjuiciamiento Criminal, el cual sanciona, pero únicamente en relación con los delitos públicos (y el de descubrimiento y revelación de secretos es un delito privado), el deber, para quienes por razón de sus cargos, profesiones u oficios tengan noticia del delito, de denunciarlo inmediatamente; y, en cualquier caso, porque casi con toda seguridad puede afirmarse que es en estos casos en los que el denunciante pudiera estar rozando la comisión de un delito, la denuncia será casi siempre anónima.

Una noticia destacada reseñada el 4 de agosto de 2009 en la Web de la AEAT fue la trama de fraude fiscal y blanqueo de capitales desmantelada por Funcionarios (el artículo 262 de la LECrim. obliga a cualquier funcionario o autoridad, cuando tuviera conocimiento de un hecho que pudiera revestir los caracteres de un delito, de ponerlos en conocimiento del Ministerio Fiscal o del Juez competente) de la Administración Estatal de la Agencia Tributaria (AEAT) y miembros del Cuerpo Nacional de Policía, bajo la dirección del juzgado n.º 1 de Alicante, referente a la importación de calzado desde China.

Tras ocho meses de investigación, han descubierto un fraude, que rondó los 30 millones de euros en los últimos cuatro años. Se ha detenido a 11 personas en 5 registros en Alicante y Muchamiel. Se han bloqueado las cuentas bancarias de la organización e intervenido 140.000 €, siete inmuebles, 3 vehículos y 8 caballos de pura raza española.

Mediante una actividad comercial legal como importador de mercancías con origen en China, que se venden sin emisión de facturas a diversas empresas, principalmente de calzado, ubicadas en la localidad de Elche y administradas por súbditos chinos. El resultado de esta actividad oculta supone un delito fiscal que ronda los treinta millones de euros en los últimos cuatro años. Posteriormente, se blanqueaba el dinero obtenido mediante transferencias millonarias a distintas cuentas corrientes ubicadas en China.

La procedencia de dicho dinero habría que situarla en las mercantiles regentadas por ciudadanos chinos, con las que JAVG mantiene un tráfico económico, que serviría de justificación para la ingente cantidad de dinero que remite.

Igualmente fueron detenidas las personas que colaboraron con él en la recogida, almacenaje, transmisión del dinero y mantenimiento de la pantalla legal que trataba de justificar el volumen comercial mantenido, así como también fueron detenidos los responsables de las mercantiles de origen chino, generadores del capital ilícito transferido.

Otra cuestión doctrinal se plantea en el momento en el que se entiende consumado el delito de defraudación, y la mayoría de la doctrina asumida por la Jurisprudencia entiende que el delito se consuma el último día del período voluntario de declaración.

En este sentido, conviene tener en cuenta la doctrina del Tribunal Supremo, que en Sentencia de 26 de julio de 1999, en relación con un delito cometido mediante omisión de la declaración, dispone: «En el caso presente los hechos no pueden ser más claros: hubo una omisión respecto del deber de declarar determinados ingresos, así como el desarrollo de un plan muy concreto y estudiado para ocultarlos al conocimiento de la Hacienda Pública. No hay en la Sentencia recurrida ninguna duda fáctica que obligará a aplicar el mencionado principio in dubio pro reo.

»En conclusión, el plazo de cinco años para la prescripción del delito ha de contarse a partir del día 20 de junio de 1991, fecha en que finalizó el plazo de declaración del IRPF correspondiente al año 1990...».

Cuando la comisión del delito se efectúa mediante la correspondiente presentación de la declaración-liquidación, la Sentencia de la Audiencia Nacional de fecha 10 de noviembre de 1999 dispone, en relación con la prescripción del delito: «A tal efecto debe partirse, como dies a quo, del momento en que expiró el período de pago voluntario, al tratarse el IS de un tributo con modalidad de autoliquidación. En tributos así gestionados la consumación y consecuentemente el dies a quo para el cómputo de la prescripción es el momento en que expire el plazo para autoliquidar el impuesto, con independencia de aquel en el que se presente la declaración tributaria».

Ahora bien, para ser considerado autor de un delito cometido por personas jurídicas no sólo ha de darse la circunstancia de ser el «administrador de hecho o derecho», sino que además han de quedar probadas, en cada caso concreto, tanto la participación real en los hechos que se consideren delictivos como el carácter doloso de su culpabilidad en relación con dichos hechos (STS de fecha 20 de julio de 1993).

Sin querer ser sistemático en su exposición y estudio, puedo clasificar las autoliquidaciones periódicas y su plazo de presentación en:

A. Impuesto sobre la Renta de las Personas Físicas.
Plazos: Del 1 de mayo al 30 de junio.

B. Impuesto sobre Sociedades.
Plazo: Dentro de los 25 días siguientes a los 6 meses posteriores a la conclusión del período impositivo.

C. Impuesto sobre el Valor Añadido.
Plazos:
• Para los tres primeros trimestres, el plazo es hasta el día 20 de los meses de abril, julio y octubre.
• Para el cuarto trimestre, el plazo es hasta el día 30 de enero del año siguiente, junto con la declaración del resumen del IVA (Modelo 390).
• Para las declaraciones mensuales, el plazo de presentación se efectuará en los 20 primeros días naturales del mes siguiente a la finalización del correspondiente período de liquidación mensual, excepto lo correspondiente al mes de julio, que se presentará durante el mes de agosto y los 20 primeros días naturales del mes de septiembre.

En las Retenciones el plazo es el siguiente:
• Para las declaraciones trimestrales, del 1 al 20 de los meses de abril, julio y octubre del mismo año y enero del año siguiente.
• Para las declaraciones mensuales, del 1 al 20 del mes siguiente, salvo la del mes de julio que se presentará desde el día 1 de agosto hasta el día 20 de septiembre.

Los plazos en los pagos fraccionados en el IRPF, son:
- Del 1 al 20 de abril, julio y octubre (1.º, 2.º y 3.º trimestres).
- Del 1 al 30 de enero (4.º trimestre).

Los plazos en los pagos fraccionados en el IS, son:

- Durante los 20 primeros días naturales de los meses de abril, octubre y diciembre.

En cuanto a la presentación mediante representación, no hay impedimento alguno en la LGT, por lo que no hay obstáculo a ello, en línea con lo manifestado por el Tribunal Supremo (STS de 7 de mayo de 1994), que ha declarado que si bien no puede considerarse un acto de mero trámite, no puede entenderse que no tenga efectos si beneficia al declarante, no así si le perjudica, y teniendo en cuenta igualmente que no hay que confundir al mandatario o representante con el mero «presentador», puesto que a este, si ejecuta funciones exclusivamente de nuncio o mensajero, no cabe atribuirle funciones de representante, presumiéndose la representación, en estos casos, *ex factis*, es decir, por el hecho de presentarse con el documento.

EJERCICIO DE ACCIONES CIVILES Y PENALES EN EL ÁMBITO DE LA GESTIÓN RECAUDATORIA

Frente a determinadas conductas encaminadas a impedir o dificultar la correcta realización de los créditos públicos resultan insuficientes las medidas previstas en la LGT y en el RGR y se revela como necesario el que los órganos de recaudación acudan a la vía judicial, ya sea la jurisdicción civil o la penal. Ello se enmarca dentro del fenómeno relativamente reciente que supone el traslado de las prácticas defraudatorias de la fase de liquidación a la fase de cobro de las deudas tributarias, prácticas que a pesar de su diversidad presentan un elemento común consistente en el vaciamiento patrimonial que persiguen, mediante la salida de los bienes y derechos integrantes del patrimonio de deudor, provocando así una situación de insolvencia que impida la satisfacción del crédito tributario.

Dentro de las acciones civiles se va a describir la acción revocatoria o pauliana, la acción subrogatoria, la acción de nulidad por simulación y el levantamiento del velo. Como acción penal se va a hacer referencia específica al delito de alzamiento de bienes. En relación con el ejercicio de este tipo de acciones judiciales, la Resolución de 7 de marzo de 1991 de la Secretaría General de Hacienda establece una serie de instrucciones.

La Ley 36/2006 de medidas para la prevención del fraude fiscal nació como medida antiabuso basada en la construcción jurisprudencial del levantamiento de velo. Piénsese en aquellos casos en que se aportan bienes a sociedades creadas al efecto, a cambio de participaciones sociales, sociedades de las que el deudor tiene el control o el dominio y que actúan como una mera pantalla entre la acción administrativa de cobro y el patrimonio de deudor. La doctrina del levantamiento del velo es de origen anglosajón y parte de la consideración de que puede existir una utilización fraudulenta de la autonomía patrimonial de las personas jurídicas para evitar la responsabilidad por deudas.

Las personas jurídicas pueden crearse o ser utilizadas de forma abusiva o fraudulenta para eludir la responsabilidad patrimonial universal (artículo 1.911 del Código Civil) frente a la Hacienda Pública, Seguridad Social o acreedores crediticios.

Generalmente, también se recurre a la celebración de negocios jurídicos pero que cuando se realizan pretenden la ineficacia de la responsabilidad patrimonial del deudor.

Otra técnica es la denominada simulación, que puede definirse como una declaración de voluntad que no es real y que se emite conscientemente y con acuerdo entre las partes intervinientes para crear una apariencia de negocio jurídico que no existe o para hacer figurar uno que es distinto del realmente celebrado (simulación absoluta y relativa, respectivamente). La simulación requiere el conocimiento de ambas partes en la falta de veracidad de la voluntad declarada. La consecuencia de la misma es la nulidad de pleno derecho del negocio simulado por falta de una causa negocial verdadera y lícita. Un ejemplo destacable es la nulidad de la transmisión de bienes a favor de la esposa para eludir el pago a un acreedor reseñada en la Sentencia 592/2006 de 8 de junio del Tribunal Supremo, que declaró, en el presente caso, que las verdaderas intenciones del recurrente quedan al descubierto con unas desposesiones patrimoniales por el marido a su esposa mediante un convenio de separación, aprobado judicialmente en pago de la pensión compensatoria, que deben declararse nulas de conformidad con lo dispuesto en el artículo 1.276 del Código Civil, bien por inexistencia de causa, bien por tener causa ilícita, al responder al único propósito de defraudar los derechos de los acreedores (entidad bancaria).

En definitiva, todo se resume en un elemento común consistente en el "vaciamiento patrimonial" que persiguen, mediante la salida de los bienes y derechos integrantes del patrimonio del deudor, provocando así una situación de insolvencia que impida la satisfacción de la deuda.

Dentro de las acciones civiles para evitar el vaciamiento patrimonial es de destacar la acción revocatoria o pauliana (arts. 1.111 y 1.291.3 Código Civil), la acción subrogatoria (art. 1.111 Código Civil), la acción de nulidad por simulación (arts. 1.261, 1.275 y 1.276 Código Civil) y el levantamiento del velo (todas las acciones descritas son de uso subsidiario). Como la acción penal ha de destacarse el alzamiento de bienes (art. 257 Código Penal).

El alzamiento de bienes está tipificado en el artículo 257 del Código Penal. Es preciso tener en cuenta que junto a la acción penal es preciso solicitar la responsabilidad civil, con lo que se conseguirá que bienes de suficiente valor vuelvan al patrimonio del deudor, a los efectos de que este sea solvente para afrontar las deudas frente a sus acreedores. Para lograr este efecto deberá probarse la existencia de *Comsilium Fraudis* (participación de los adquirientes de los bienes en la fraudulencia que motivó la conducta del deudor). De lo contrario, la protección que a los adquirientes a título oneroso otorga el artículo 34 de la Ley Hipotecaria hará inútil la acción penal ejercitada para conseguir la nulidad de lo actuado.

De acuerdo con nuestro Derecho Penal, pueden entenderse causantes o colaboradores en la realización de una infracción a:

1) Todas las personas que toman parte directa en la realización de la infracción.

2) Quien utilice fuerza sobre la persona que realice materialmente la infracción.

3) Los sujetos que hayan inducido o instigado la realización de los hechos constitutivos del ilícito.

4) Quien tenga la consideración de colaborador necesario y la de cómplice.

Es necesario también que exista una conducta culpable en quien participa o coopera en la realización de la infracción, dada la necesaria concurrencia del principio de culpabilidad.

Capítulo 16

El papel de la criminología en la prevención del delito y la ingeniería conductual

La disminución de la criminalidad no la vamos a deber al aumento de penas ni a la cadena perpetua. El concepto puro de "política" es el análisis de las circunstancias de una situación en sociedad, cómo de dicho estudio se pueden aplicar recursos o soluciones a un hecho, anexando el concepto de "criminológica", se hace referencia al estudio de las causas y factores criminógenos y la aplicación de soluciones con base en la identificación de estos, la política criminológica debe comenzar en la educación, en la familia, en la sociedad y, cuando la criminalidad ya se ha desarrollado, se extiende al tratamiento penitenciario y pospenitenciario.

No es apropiada la intimidación con anuncios televisivos de dichos castigos, ya que los criminales no cesarán su actividad delictiva. La posible solución radica en una adecuada educación desde años primeros de la infancia, pues como decía Charles Darwin: "Inculca una enseñanza a edad donde el cerebro es más sensible y con el tiempo crearás un hábito", así, la prevención de conductas antisociales puede partir de la educación que se imparta en las escuelas y que esta se vea reforzada en la familia, pues es esta la primera y más fuerte educación y formación de hábitos que los seres humanos desarrollamos.

Otra opción preventiva es el espacio en donde nos desenvolvemos. Lacassagne opinaba que la sociedad tiene los criminales que merece; es decir, retomando el concepto de anomia de Durkheim, la sociedad orilla a las personas a cometer cierto tipo de conductas cuando encuentran determinadas carencias en su entorno, por ello, el Estado —al tomar la tutela de la sociedad— debe proporcionar a todos lo que permita llevar un adecuado desarrollo físico, mental y social.

En el caso de que la criminalidad ya se haya desarrollado, como la situación que tenemos actualmente, lo necesario es hacer un adecuado estudio de la personalidad de los delincuentes, hacer la descomposición analítica para, posteriormente, dar lugar a la recompensa sintética; es decir, como señala Mario Bunge, hay que dividir al fenómeno en partes, estudiar cada una de ellas y luego hacer la reconstrucción.

Economizando la situación, es más adecuada la prevención que el castigo, pues un reo diariamente cuesta de 3 a 9 euros diarios (fuente: www.xe.com), cantidad que durante los 30, 40 o 60 años que permanezca encerrado, constituye cifras millonarias que la sociedad sustenta con sus impuestos.

Es urgente una legislación de seguridad pública diseñada sobre estudios reales de la situación en nuestro país, las legislaciones no pueden hacerse por ensayo y error, hay que llevar a cabo estudios de los factores criminógenos y elaborar políticas criminológicas apropiadas a las necesidades de la sociedad y de los delincuentes.

El ser humano es un ente complejo en su dualidad sustancial. La conducta que muestra en diferentes contextos da muestra de la gran variedad de estados mentales en los que se puede involucrar, lo que en ocasiones requiere de un análisis y tratamiento especializado mediante la aplicación del conocimiento científico según cada caso en particular.

Se sabe que la aplicación de estrategias en diversos momentos de la vida del ser humano puede ser la base del desarrollo de la personalidad adaptada a la sociedad. Para que no se muestre como enemigo potencial de esta, deberá contribuir a la conservación y optimización de las instituciones que permiten una vida social adecuada.

Sin embargo, el pensamiento del hombre algunas veces es materializado mediante actos que son nocivos a la sociedad y a su entorno, formándose individuos con resentimientos muy arraigados. Del mismo modo, encontramos en la gran diversidad humana personalidades caracterizadas por un carácter manipulable y manejable, con alta predisposición a la comisión de conductas antisociales.

Respecto a este fenómeno, poco o nada se ha hecho de manera tangible en nuestra sociedad, ya que no existen verdaderos programas de prevención y tratamiento de las conductas antisociales que ocasionan graves problemas a los sujetos que las comenten, pero que —sobre todo— laceran dolorosamente a quienes son víctimas de su comportamiento.

Basado en los presupuestos antes mencionados, la ingeniería conductual (o ingeniería para la ortopedia conductal) es concebida como la aplicación del conocimiento científico en el análisis y tratamiento de la conducta del ser humano.

En el momento en que los niños entran a la edad adolescente, sus cuerpos manifiestan cambios importantes a nivel orgánico (en el sistema endocrino y sistema nervioso por lo que toca a la conducta), lo que hace que en su gran mayoría se muestren con problemas de conducta. Aunado a esto, el alcohol y las drogas llegan a convertirse en parte de la vida que empiezan a descubrir por "la falta de comprensión de la que son objeto".

Es así como, en este periodo de la vida, los adolescentes pueden empezar a tener problemas, violentando las leyes penales primordialmente con la ejecución de delitos de homicidio, lesiones, robo, deportación y posesión de armas de fuego, además de que son susceptibles de formar parte de la delincuencia organizada (el 20% de las empresas italianas están controladas por directivos mafiosos) en cualquiera de sus formas.

Por otro lado, en los centros penitenciarios existe una gran falta de creación, aplicación y coordinación de verdaderos programas para la resocialización del delincuente. En las cárceles, el primer problema —en este sentido— es que el sujeto no es sometido al análisis y tratamiento de su problema de conducta. Esta es la razón por la que el sistema penitenciario ha fracasado en su cometido de resocialización. Es innegable que se transforma la conducta del ser humano en esos tópicos, pero dicha transformación es nociva y nada conveniente.

Es indefendible la afirmación de la transformación de la conducta de los jóvenes en prisión, pues no se presenta dicha transformación en el sentido deseado, ya que cuando estos jóvenes son ingresados a dichos centros se especializan en diversas actividades delictivas, pues se dan casos en los que el delincuente es recluido por robo, pero en reclusión evoluciona —mejor dicho, involuciona— hacia nuevas formas de delinquir y, cuando alcanza su libertad, ya se ha convertido en secuestrador, extorsionador, etc., formando parte o dirigiendo grupos bien estructurados y jerarquizados para la comisión de delitos considerados graves (delincuencia organizada: recordar que en la actualidad los hijos de los mafiosos italianos, que posteriormente serán jefes, se licencian en las mejores universidades en dos carreras específicas: Ciencias empresariales y Derecho-económico).

Por tal motivo, la ingeniería conductual deberá estar en posibilidades de prevenir las conductas antisociales, todo problema de conducta que el sujeto manifiesta desde su desarrollo en la niñez y su convivencia en la vida social y familiar.

Capítulo 17

Resoluciones judiciales

❑ **STS 07.09.2005**

Responsabilidad de los Administradores por deudas tributarias pendientes al cese de actividades.

❑ **STS 25.06.2008**

La retribución de los derechos e imagen de un deportista tienen carácter salarial, y, por tanto, se les debe practicar la retención del IRPF.

❑ **STC 26.04.1990**

Es constitucional y, por tanto, no existe vulneración del principio de no concurrencia cuando a una misma conducta tipificada como infracción tributaria o como delito contra la Hacienda Pública le corresponden dos tipos de sanciones, una pecuniaria y otra no pecuniaria.

❑ **STS 26.07.1999**

El experto tributario condenado como coautor del hecho delictivo. Sin sus conocimientos y su participación directa, es imposible llevar a cabo la elusión del pago del impuesto y de ahí lo indispensable de su cooperación.

❑ **STS 63/2005 de 14 de marzo**

Considera que para que el procedimiento se entienda dirigido contra el culpable es necesaria la intervención del Juez y, por texto, no basta con la mera presentación de la denuncia o querella ante el órgano judicial. En tanto no sean aceptadas, dicho procedimiento no puede considerarse «iniciado» ni, por consiguiente, «dirigido» contra persona alguna, interpretación esta que, por otra parte, se corresponde exactamente con lo dispuesto en los artículos 309 y 750 de la LECrim.

❑ **SSTC 103/1985, 145/1987 y 22/1988**

El deber del ciudadano de tolerar que se le someta a una especial modalidad de pericia técnica no puede considerarse contrario al derecho a no declarar contra sí mismo y al de no declararse culpable. Cuando el contribuyente aporta o exhibe los documentos contables pertinentes no está haciendo una manifestación de voluntad ni emite una declaración que exteriorice un contenido admitiendo su culpabilidad.

❑ **STC 02.03.1988**

Una conducta adquiere o puede adquirir el valor de engaño cuando el deber de verdad reconocido y sancionado por el ordenamiento jurídico (...) (véase art. 305 CP).

Actualmente, la posición de la jurisprudencia así como de la mayoría de la doctrina científica equipara «defraudación» como sinónimo de «engaño».

❑ **STC 69/1999 de 26 de abril**

El Tribunal Constitucional ha reconocido el derecho a la inviolabilidad del domicilio no sólo a las personas físicas sino también a las jurídicas, si bien con un ámbito de protección diferente.

Los órganos competentes para otorgar la autorización de entrada son los Juzgados de lo Contencioso-Administrativo (cif. arts. 91.2 LOPJ y 8.º 5 Ley Reguladora de la Jurisdicción Contenciosa-Administrativa).

❑ **STS 03.04.2003**

Establece la independencia de la prescripción administrativa de la prescripción penal, y que nada obsta a que el delito fiscal se someta a plazos de prescripción más largos que la infracción administrativa, en razón de su mayor gravedad.

❑ **STJCE 14.12.2006**

Condena a España por la concesión de ayudas fiscales ilegales a empresas instaladas en el País Vasco.

❑ **STJCE 26.06.2007**

Confirma que los abogados deben cooperar en la lucha contra el Blanqueo de Capitales.

❑ **STS 20.09.1988**

La Doctrina más autorizada de nuestros tribunales considera que los llamados «incrementos no justificados de patrimonio» constituyen una presunción *iuris tantum* de la legislación fiscal que no es trasladable al ámbito penal, en la medida en que no puede aplicarse cuando los elementos objetivos del tipo delictivo no están acreditados con arreglo a los principios del proceso penal, que veda la prueba a través de presunciones legales. Es decir, no es trasladable al ámbito del derecho penal la legislación tributaria en este punto en la medida en que constituye exclusivamente una presunción, lo que atentaría contra el principio de presunción de inocencia.

❑ **Auto Audiencia Nacional 07.07.1992**

La presunción de inocencia tiene primacía en derecho penal, en el que no caben presunciones, incumbiendo la carga de la prueba a las partes acusadoras, que en este caso sería la Administración Tributaria o, en su caso, el Ministerio Fiscal.

❑ **STS 28.03.2001**

En esta sentencia se condenó al asesor fiscal por su participación directa y personal en los hechos constitutivos de delito fiscal. En el mismo sentido cuenta la sentencia del Juzgado de lo Penal número 2 de 14 de los de Madrid, de fecha de 6 de abril de 2000 (Cooperador necesario).

❑ **STS 15.07.2002**

Mediante el diseño efectuado por el Abogado, se cometió un delito contra la Hacienda Pública tipificado en el artículo 305 del CP. En este sentido, conviene tener en cuenta la sentencia de 18 de marzo de 1999 de la Audiencia Provincial de Barcelona, de utilización de una sociedad pantalla o interpuesta con simulación y no mero fraude de ley tributaria.

Capítulo 18

Bibliografía

- Agustín Salgado García. Ingeniería Conductual. Revista SECCIF n.º 3, 2008.
- Alberto Angoso García. La Inducción de la Conducta Criminal: una realidad psicohistórica. Revista SECCIF n.º 3, 2008.
- Almudena Domínguez Martín. El último eslabón para acceder a la profesión jurídica. Lexnova n.º 39, enero/marzo, 2005.
- Carlos Pérez Vaquero. El estatuto europeo de la víctima. Revista de criminología y Ciencias Forenses n.º 2, 2008.
- Código Penal.
- Código de Comercio.
- Código Civil.
- Constitución Española.
- Curso Superior en valoraciones Inmobiliarias. ADAMS.
- Curso de valoraciones Inmobiliarias. CEF.
- Curso Superior en Derecho Laboral. ESINE. 2005.
- Curso Superior en Comercio electrónico y desarrollo Web. ESINE. 2006.
- Curso Superior en Marketing. CEF. 2007.
- Delincuencia organizada. ECC. 2008.
- Delincuencia mercantil. ECC. 2008.
- Servicio de documentación SECCIF. Clases y funciones de la criminología. Revista SECCIF n.º 0, 2009.
- FBI: 100 años de historia. Antonio Ignacio Cela Ranilla. Revista SECCIF n.º 3, 2008.
- **Jaime Barbejo Bajo. Transfuguismo e Inmunidad parlamentaria: el difícil equilibrio entre ética y legalidad. Lexnova n.º 58, octubre/ diciembre, 2009.**
- José Manuel Ferro Veiga. Delito de cuello blanco en las Entidades Locales como vínculo entre el sector inmobiliario, el blanqueo de capital y urbanismo. Lexnova, 2008.
- José Domingo Monforte. De la llamada economía de opción y planificación diligente del delito fiscal y la cárcel. Lexnova n.º 45, julio/septiembre, 2006.

- José Aróstegui Moreno. La biología Humana y la conducta Criminal. Revista SECCIF n.º 4, 2009.
- José Aróstegui Moreno. Criminal Treatment of the Psychopathic Ofender. Quadernos de Crimonolgía. Revista SECCIF n.º 6, 2009.
- Juan Rueda. Las mafias procedentes del oeste de Europa. Revista AGC, 2007.
- Joc privat. Estadística sobre el juego en España. N.º 181, 2009.
- Las tramas fiscales. AEAT (www.aeat.com).
- Ley 5/1985 sobre Régimen Electoral General.
- Ley Orgánica 6/2002 de 27 de junio, Partidos Políticos.
- Ley Orgánica 3/1981 de 6 de abril del Defensor del Pueblo.
- Ley Orgánica 5/1985 del Tribunal del Jurado.
- Ley Orgánica 272004 de 28 de diciembre.
- Ley Enjuiciamiento Civil.
- Ley de Enjuiciamiento Criminal.
- Ley Orgánica del Poder Judicial.
- Ley Orgánica Tribunal Constitucional.
- Ley Blanqueo de capital.
- Máster en derecho fiscal. CEF. 2009.
- Máster en derecho fiscal y seguridad social. ESINE 2009.
- Máster en delincuencia económica. ECC. 2008.
- Máster en dirección económico-financiera. CEF. 2009.
- Pablo Sanjuán García. Últimas reformas en el proceso penal: el fin de la instancia única. Lexnova n.º 46, diciembre, 2006.
- Pablo Sanjuán García. La agencia europea de derechos fundamentales. Lexnova n.º 48, enero/marzo, 2007.
- Panorama jurídico. Lexnova. Diversos números, 2008 y 2009.
- Reglamento del Congreso de los Diputados 10.02.1982 (BOE 05.03.1982).
- Reglamento del Senado Texto Refundido (03.05.1995).
- Real Decreto de Inversión Extranjera.
- Resoluciones Judiciales. Lexnova.
- Resoluciones Judiciales. CEF.
- Resoluciones Judiciales. ECC.
- Resoluciones Judiciales. AGC.
- Resoluciones Judiciales. ESINE.
- Servicio de Documentación SECCIF. Clases y funciones de la Criminología. Revista SECCIF n.º 0, 2008.
- Temario Agente de Hacienda Pública. CEF. 2009.

❑ Wael Hikal. El papel de la criminología en la prevención del delito. Revista de criminología y Ciencias Forenses n.º 3, 2008.